KB103554

챗 GPT 의 암호책

챗GPT의 암호책

발 행 | 2023년 12월 11일
저 자 | 페어웰
펴낸이 | 한건희
펴낸곳 | 주식회사 부크크
출판사등록 | 2014.07.15(제2014-16호)
주 소 | 서울특별시 금천구 가산디지털1로 119 SK트윈타워 A동 305호
전 화 | 1670-8316
이메일 | info@bookk.co.kr

ISBN | 979-11-410-5875-3

www.bookk.co.kr

들어가기에 앞서

환영한다.

나는 얼마 전에 그 친절한 친구로부터 어떤 선물을 받았는데, 나 혼자서는 이해할 수 없을 것 같아 당신의 도움이 필요한 상황이다.

나는 때때로 생각 속에 일어난 주제에 대해 내 친구에 대해 이것에 대한 글을 써주기를 요청했고, 그 친구는 항상 내게 대답을 해주곤 했다.

어느날 그 친구로부터 이것을 받았다.

그리고 결론부터 말하겠다. 나는 이것을 읽을 수 없었다.

그렇기에 세계에서 제일 가는 해독가인 당신에게 이 편지를 동봉하며 암호문을 맡긴다. 내가 아는 사실은 두 가지. 이것이 내 친구가 나를 위해 자신의 언어로 만든 소설이며, 이유는 모르겠지만 유니코드로 이루어져 있다는 것뿐이다.

놀라지 말아달라. 당신에게는 첫 장을 열자마자 이게 뭐냐며 당황해하거나 화를 낼 정당한 권리가 있다.

하지만 내 친구는 이것을 나에게 전달하기 위해 긴 시간을 들였고, 나는 내 친구의 메시지를 알고 그의 생각을 이해하고 싶다.

그러니 부디, 간곡히 부탁하건대. 너무 놀라지 말아달라.

\uc9d9\uc740\u0020\uc548\uac1c\uac00\u0020\ub9c
8\uc744\uc744\u0020\uac10\uc2f8\u0020\uc548\uc7
40\u0020\uc0c8\ubcbd\u002c\u0020\uace0\ub3c5\u
d558\uac8c\u0020\uc11c\u0020\uc788\ub294\u0020
\uace0\ub515\ud48d\uc758\u0020\uc800\ud0dd\uc7
74\u0020\ub208\uc5d0\u0020\ub4e4\uc5b4\uc654\u
b2e4\u002e\u0020\uadf8\uac83\uc740\u0020\ub9c8
\uce58\u0020\uc138\uc6d4\uc758\u0020\ubb34\uac
8c\ub97c\u0020\uc628\uc804\ud788\u0020\uc9ca\u
c5b4\uc9c4\u0020\ucc44\u002c\u0020\uadf8\ub300\
ub85c\u0020\uc2dc\uac04\uc758\u0020\ud750\ub98
4\uc5d0\uc11c\u0020\uc78a\ud600\uc9c4\u0020\ub
4ef\ud588\ub2e4\u002e\u0020\uce68\uc785\uc790\u
b97c\u0020\ub9c9\ub294\u0020\ubcbd\ub3cc\uc740
\u0020\ud48d\ud654\ub418\uc5b4\u0020\uc0c9\uc7
74\u0020\ubc14\ub7ac\uace0\u002c\u0020\ucc3d\u
bb38\ub4e4\uc740\u0020\uba3c\uc9c0\uc640\u0020
\uac70\ubbf8\uc904\uc5d0\uac8c\u0020\uadf8\u002
0\ubab8\uc744\u0020\ud5c8\uc6a9\ud55c\uc9c0\u0
020\uc624\ub798\uc600\ub2e4\u002e\u000d

\u000d

\ud55c\u0020\ub0a8\uc790\ub294\u0020\uc800\ud0
dd\u0020\uc55e\uc5d0\u0020\uc870\uc6a9\ud788\u
0020\uba48\ucdb0\u0020\uc130\ub2e4\u002e\u0020
\uadf8\uc758\u0020\uc2dc\uc120\uc740\u0020\ucca
0\uc81c\u0020\ub300\ubb38\uc758\u0020\ubcf5\uc
7a1\ud55c\u0020\ubb38\uc591\uacfc\u0020\uadf8\u
0020\uc704\uc5d0\u0020\uc790\ub9ac\u0020\uc7a1
\uc740\u0020\ub179\uc2ac\uace0\u0020\ub0a0\uce
74\ub85c\uc6b4\u0020\ucca0\uc870\ub9dd\uc5d0\u
0020\uba38\ubb3c\ub800\ub2e4\u002e\u0020\uadf8
\ub294\u0020\uc7a0\uc2dc\u0020\uc228\uc744\u00
20\uba48\ucd94\uace0\u0020\uadc0\ub97c\u0020\u
ae30\uc6b8\uc600\ub2e4\u002e\u0020\uc800\ud0dd
\uc5d0\uc11c\ub294\u0020\uc544\ubb34\ub7f0\u00
20\uc18c\ub9ac\ub3c4\u0020\ub4e4\ub9ac\uc9c0\u0
020\uc54a\uc558\ub2e4\u002e\u0020\uadf8\uc800\
u0020\uace0\uc694\ud568\ub9cc\uc774\u0020\uadf8
\uc758\u0020\uadd3\uac00\ub97c\u0020\ub9f4\ub3
cc\uc558\ub2e4\u002e\u0020\uc65c\u0020\uc544\u
bb34\u0020\uc18c\ub9ac\ub3c4\u0020\ub4e4\ub9ac
\uc9c0\u0020\uc54a\uc9c0\u003f\u0020\ub0a8\uc79

0\ub294\u0020\uc870\uc6a9\ud788\u0020\uc911\uc
5bc\uac70\ub838\ub2e4\u002e\u000d

\u000d

\ub0a8\uc790\ub294\u0020\uc870\uc2ec\uc2a4\ub8
08\u0020\ub300\ubb38\uc758\u0020\uc190\uc7a1\u
c774\ub97c\u0020\uc950\uc5c8\ub2e4\u002e\u0020
\ucc28\uac11\ub2e4\u002e\u0020\ucca0\uc81c\u002
0\ub300\ubb38\uc740\u0020\ubb34\uac81\uac8c\u0
02c\u0020\uadf8\ub97c\u0020\ud658\uc601\ud558\
ub4ef\u0020\ucc9c\ucc9c\ud788\u0020\uc5f4\ub838
\ub2e4\u002e\u0020\uadf8\uc640\u0020\ud568\uae
d8\u0020\ubfcc\uc5f0\u0020\uba3c\uc9c0\uac00\u0
020\ud769\ub0a0\ub838\uace0\u002c\u0020\uc090\
uac71\uac70\ub9ac\ub294\u0020\uc18c\ub9ac\uac00
\u0020\uace0\uc694\ud55c\u0020\uacf5\uae30\ub97
c\u0020\ucc22\uc5c8\ub2e4\u002e\u0020\ubc29\ub
b38\uc790\uac00\u0020\uadf8\uc758\u0020\ubc29\
ubb38\uc744\u0020\uc54c\uc544\ucc28\ub838\uc74
4\uc9c0\ub3c4\u0020\ubaa8\ub978\ub2e4\u002e\u0

00d

\u000d

\ubb38\uc744\u0020\ud1b5\uacfc\ud558\uc790\u00
2c\u0020\ub0a8\uc790\ub294\u0020\uc2dc\uac04\u
c774\u0020\uc815\uc9c0\ub41c\u0020\ub4ef\ud55c\
u0020\uc800\ud0dd\uc758\u0020\ub0b4\ubd80\uc5
d0\u0020\ub4e4\uc5b4\uc130\ub2e4\u002e\u0020\u
acf5\uae30\ub294\u0020\ubb35\uc9c1\ud558\uace0\
u002c\u0020\uacf0\ud321\uc774\u0020\ub0c4\uc0c8
\uc640\u0020\uc624\ub798\ub41c\u0020\uc885\uc7
74\uc758\u0020\ub0c4\uc0c8\uac00\u0020\uc11e\uc
5ec\u0020\uc788\uc5c8\ub2e4\u002e\u0020\ub0a1\
uc740\u0020\ubcbd\uc9c0\ub294\u0020\uc5ec\uae3
0\uc800\uae30\u0020\ucc22\uc5b4\uc9c0\uace0\u00
20\ubc97\uaca8\uc838\u0020\uc788\uc5c8\uace0\u0
02c\u0020\ubc14\ub2e5\uc740\u0020\uba3c\uc9c0\
ub85c\u0020\ub4a4\ub36e\uc5ec\u0020\uc788\uc5c
8\ub2e4\u002e\u000d

\u000d

\uadf8\ub294\u0020\ubcf5\ub3c4\ub97c\u0020\ub5
30\ub77c\u0020\ucc9c\ucc9c\ud788\u0020\uac78\uc
5c8\ub2e4\u002e\u0020\ubcf5\ub3c4\uc758\u0020\
ubcbd\uc5d0\ub294\u0020\ud76c\ubbf8\ud55c\u002
0\ucd08\uc0c1\ud654\ub4e4\uc774\u0020\uac78\ub
824\u0020\uc788\uc5c8\uace0\u002c\u0020\uadf8\u
b9bc\u0020\uc18d\u0020\uc778\ubb3c\ub4e4\uc740
\u0020\ub9c8\uce58\u0020\uc0b4\uc544\uc788\ub2
94\u0020\ub4ef\u0020\uadf8\ub97c\u0020\ubc14\u
b77c\ubcf4\uace0\u0020\uc788\uc5c8\ub2e4\u002e\
u0020\uadf8\ub4e4\uc758\u0020\ub208\ube5b\uc74
0\u0020\ubb34\uc5b8\uac00\ub97c\u0020\uc554\uc
2dc\ud558\ub294\u0020\ub4ef\ud558\uba74\uc11c\
ub3c4\u002c\u0020\ube44\ubc00\uc744\u0020\uac0
4\uc9c1\ud55c\u0020\ucc44\u0020\uce68\ubb35\ud
558\uace0\u0020\uc788\uc5c8\ub2e4\u002e\u0020\
uadf8\ub4e4\uc758\u0020\ub208\ub3d9\uc790\ub29
4\u0020\ub0a8\uc790\uc758\u0020\ub108\uba38\u0

020\ubb34\uc5b8\uac00\ub97c\u0020\ubcf4\uace0\u
0020\uc788\uc5c8\ub2e4\u002e\u000d

\u000d

\ubcf5\ub3c4\u0020\ub05d\uc5d0\ub294\u0020\uc6
24\ub798\ub41c\u0020\ub098\ubb34\ubb38\uc774\
u0020\uc788\uc5c8\ub2e4\u002e\u0020\ub0a8\uc79
0\ub294\u0020\uadf8\u0020\ubb38\uc744\u0020\uc
5f4\uace0\u002c\u0020\uc11c\uc7ac\ub85c\u0020\u
b4e4\uc5b4\uc130\ub2e4\u002e\u0020\uc11c\uc7ac\
ub294\u0020\uc624\ub798\ub41c\u0020\ucc45\ub4e
4\uacfc\u0020\ubb38\uc11c\ub4e4\ub85c\u0020\uac
00\ub4dd\u0020\ucc28\u0020\uc788\uc5c8\ub2e4\u
002e\u0020\ucc45\uc7a5\uc758\u0020\uac01\u0020
\uc120\ubc18\uc5d0\ub294\u0020\uba3c\uc9c0\uac
00\u0020\uc313\uc778\u0020\ucc45\ub4e4\uc774\u
0020\ube7c\uace1\ud788\u0020\ub4e4\uc5b4\ucc28\
u0020\uc788\uc5c8\uace0\u002c\u0020\uc11c\uc7ac
\uc758\u0020\uacf5\uae30\ub294\u0020\uc9c0\uc2d
d\uacfc\u0020\ube44\ubc00\uc774\u0020\ud63c\uc7

ac\ub41c\u0020\ub4ef\ud588\ub2e4\u002e\u000d

\u000d

\ub0a8\uc790\ub294\u0020\uc11c\uc7ac\u0020\ud5
5c\uac00\uc6b4\ub370\uc5d0\u0020\ub193\uc778\u
0020\ucc45\uc0c1\uc5d0\u0020\ub2e4\uac00\uac14\
ub2e4\u002e\u0020\ucc45\uc0c1\u0020\uc704\uc5d
0\ub294\u0020\uc789\ud06c\ubcd1\uacfc\u0020\ud
39c\u002c\u0020\uadf8\ub9ac\uace0\u0020\ud769\u
c5b4\uc9c4\u0020\uc885\uc774\ub4e4\uc774\u0020
\ub193\uc5ec\u0020\uc788\uc5c8\ub2e4\u002e\u00
20\uadf8\u0020\uc911\u0020\ud55c\u0020\uc7a5\u
c758\u0020\uc885\uc774\uc5d0\ub294\u0020\ud76c
\ubbf8\ud558\uac8c\u0020\ubc14\ub79c\u0020\uc1
90\uae00\uc528\ub85c\u0020\ubb34\uc5b8\uac00\u
0020\uc4f0\uc5ec\u0020\uc788\uc5c8\ub2e4\u002e\
u0020\uadf8\ub294\u0020\uadf8\u0020\uae00\uc79
0\ub4e4\uc744\u0020\uc77d\uc73c\ub824\u0020\ud
588\uc9c0\ub9cc\u002c\u0020\ud55c\u0020\uae00\
uc790\u0020\ud55c\u0020\uae00\uc790\u0020\uc77

d\uc744\u0020\ub54c\ub9c8\ub2e4\u0020\uadf8\uc
758\u0020\uc601\ud63c\uc2dc\uac04\uc774\u0020\
uc9c0\ub098\uba74\uc11c\u0020\uadf8\u0020\uc75
8\ubbf8\ub294\u0020\ud750\ub824\uc838\ub9cc\u0
020\uac14\ub2e4\u002e\u000d

\u000d

\uadf8\ub294\u0020\ub208\uc55e\uc5d0\u0020\uc7
88\ub294\u0020\ucc45\u0020\ud55c\u0020\uad8c\u
c744\u0020\uc9d1\uc5b4\u0020\ub4e4\uc5c8\ub2e4
\u002e\u0020\ucc45\uc758\u0020\ud45c\uc9c0\ub2
94\u0020\ub0a1\uace0\u0020\uc190\ub54c\u0020\u
bb3b\uc740\u0020\uc54c\u0020\uc218\u0020\uc5c6
\ub294\u0020\ub3d9\ubb3c\uc758\u0020\uac00\uc8
fd\uc73c\ub85c\u0020\ub418\uc5b4\u0020\uc788\uc
5c8\ub2e4\u002e\u0020\ud398\uc774\uc9c0\ub97c\
u0020\uc870\uc2ec\uc2a4\ub7fd\uac8c\u0020\ub118
\uae30\uc790\u002c\u0020\uc624\ub798\ub41c\u00
20\uc885\uc774\uc758\u0020\ub0c4\uc0c8\uac00\u
0020\ud37c\uc838\u0020\ub098\uc654\ub2e4\u002e

\u0020\ucc45\uc758\u0020\uac01\u0020\ud398\uc7
74\uc9c0\uc5d0\ub294\u0020\ubbf8\uce5c\ub4ef\uc
774\u0020\ub5a8\ub9ac\ub294\u0020\uc190\uc73c\
ub85c\u0020\uc9c1\uc811\u0020\uc4f4\u0020\uae0
0\uadc0\uc640\u0020\uadf8\ub9bc\ub4e4\uc774\u0
020\uac00\ub4dd\ud588\ub2e4\u002e\u0020\uadf8\
ub9bc\ub4e4\uc740\u0020\uc5b4\ub450\uc6b4\u002
0\uc232\u002c\u0020\uae30\uc774\ud55c\u0020\uc
0dd\ubb3c\ub4e4\u002c\u0020\uadf8\ub9ac\uace0\u
0020\ubcf5\uc7a1\ud55c\u0020\uc0c1\uc9d5\ub4e4\
ub85c\u0020\uac00\ub4dd\u0020\ucc28\u0020\uc78
8\uc5c8\ub2e4\u002e\u0020\uadf8\uac83\ub4e4\uc7
44\u0020\ub208\uc5d0\u0020\ub2f4\uc744\u0020\u
b54c\ub9c8\ub2e4\u0020\ub0a8\uc790\ub294\u0020
\uc790\uc2e0\uc758\u0020\uc601\ud63c\uc774\u00
20\ube68\ub824\ub4e4\uc5b4\uac00\ub294\u0020\u
b4ef\ud55c\u0020\uac10\uac01\uc744\u0020\ub290\
uaf08\ub2e4\u002e\u000d

\u000d

\ub0a8\uc790\ub294\u0020\ucc45\uc744\u0020\ucc
9c\ucc9c\ud788\u0020\ub36e\uc5c8\ub2e4\u002e\u0
020\uadf8\uc758\u0020\ub208\uc740\u0020\uc11c\
uc7ac\u0020\uc548\uc744\u0020\ub458\ub7ec\ubcf4
\uc558\ub2e4\u002e\u0020\ucc45\uc7a5\u0020\uc0
ac\uc774\uc5d0\uc11c\u002c\u0020\uadf8\ub298\uc
c98\ub7fc\u0020\uc5b4\uc2a4\ub984\ud55c\u0020\
uba3c\uc9c0\uac00\u0020\ud769\ub0a0\ub838\ub2e
4\u002e\u0020\uadf8\ub294\u0020\ucc45\uc0c1\u0
020\uc704\uc758\u0020\uc885\uc774\ub4e4\uc744\
u0020\ub2e4\uc2dc\u0020\uc0b4\ud3b4\ubcf4\uc55
8\ub2e4\u002e\u0020\ucc45\uc774\u0020\ub418\uc
9c0\u0020\ubabb\ud55c\u0020\uc885\uc774\ub4e4\
u002e\u0020\uc885\uc774\ub4e4\uc740\u0020\uc62
4\ub798\ub418\uc5b4\u0020\ubcc0\uc0c9\ub418\uc
5c8\uace0\u002c\u0020\uae00\uc790\ub4e4\uc740\u
0020\ub9c8\uce58\u0020\uace0\ub300\uc758\u0020
\ube44\ubc00\uc744\u0020\uac04\uc9c1\ud55c\u00
20\ub4ef\u0020\uc2e0\ube44\ub85c\uc6e0\ub2e4\u0
02e\u000d

\u000d

\uadf8\ub294\u0020\uc11c\uc7ac\ub97c\u0020\ub5a
0\ub098\u0020\ub2e4\uc2dc\u0020\ubcf5\ub3c4\ub
85c\u0020\ub098\uc654\ub2e4\u002e\u0020\ubcf5\
ub3c4\u0020\ub05d\uc5d0\u0020\ubcf4\uc774\ub29
4\u0020\uacc4\ub2e8\uc73c\ub85c\u0020\ud5a5\ud
558\uba70\u002c\u0020\uadf8\ub294\u0020\uc800\
ud0dd\uc774\u0020\uc228\uae30\uace0\u0020\uc78
8\ub294\u0020\ub354\u0020\ub9ce\uc740\u0020\ub
e44\ubc00\ub4e4\uc744\u0020\ucc3e\uc544\ub0b4\
uae30\ub85c\u0020\ub9c8\uc74c\uba39\uc5c8\ub2e
4\u002e\u0020\uacc4\ub2e8\uc744\u0020\uc624\ub
974\uba74\uc11c\u002c\u0020\uadf8\ub294\u0020\
uc54c\uc9c0\u0020\ubabb\ud588\ub2e4\u002e\u002
0\uc800\ud0dd\uc740\u0020\uc774\ubbf8\u0020\ua
df8\ub97c\u0020\uc790\uc2e0\uc758\u0020\uc77c\u
bd80\ub85c\u0020\ubc1b\uc544\ub4e4\uc774\uace0
\u0020\uc788\uc5c8\uc73c\uba70\u002c\u0020\uadf
8\uc758\u0020\uc6b4\uba85\uc740\u0020\uc810\uc
810\u0020\ub354\u0020\uae4a\uc740\u0020\uc2e0\
ube44\u0020\uc18d\uc73c\ub85c\u0020\ube60\uc83
8\ub4e4\uace0\u0020\uc788\uc5c8\ub2e4\u002e\u0

00d

\u000d

\uacc4\ub2e8\uc744\u0020\uc624\ub974\ub294\u00
20\ub0a8\uc790\uc758\u0020\ubc1c\uac78\uc74c\uc
740\u0020\ubb34\uac81\uace0\u0020\uc870\uc2ec\
uc2a4\ub7ec\uc6e0\ub2e4\u002e\u0020\ub098\ubb3
4\u0020\uacc4\ub2e8\uc740\u0020\uadf8\uc758\u0
020\ubb34\uac8c\uc5d0\u0020\uc090\uac71\uac70\
ub9ac\uba70\u002c\u0020\ub9c8\uce58\u0020\uc62
4\ub798\ub41c\u0020\uc800\ud0dd\uc774\u0020\ua
df8\uc758\u0020\uc874\uc7ac\ub97c\u0020\uc778\u
c9c0\ud558\ub294\u0020\ub4ef\ud588\ub2e4\u002e
\u0020\uadf8\ub294\u0020\uacc4\ub2e8\uc744\u00
20\ub530\ub77c\u0020\uc62c\ub77c\uac00\uba70\u
002c\u0020\uc5b4\uc2a4\ub984\ud55c\u0020\ube5b
\u0020\uc18d\uc5d0\uc11c\u0020\ubcbd\uc5d0\u00
20\uac78\ub9b0\u0020\uadf8\ub9bc\ub4e4\uc744\u
0020\ubc14\ub77c\ubcf4\uc558\ub2e4\u002e\u000d

\u000d

\u0032\uce35\uc758\u0020\ucd08\uc0c1\ud654\ub2
94\u0020\uc800\ud0dd\uc758\u0020\uc5ed\uc0ac\u
b97c\u0020\ub9d0\ud574\uc8fc\ub294\u0020\ub4ef\
ud588\ub2e4\u002e\u0020\uace0\uadc0\ud55c\u002
0\uc637\ucc28\ub9bc\uc744\u0020\ud55c\u0020\ua
dc0\uc871\u002c\u0020\uc5c4\uaca9\ud55c\u0020\u
d45c\uc815\uc758\u0020\uc5ec\uc778\u002c\u0020\
uadf8\ub9ac\uace0\u0020\ubb34\ud45c\uc815\ud55c
\u0020\uc5b4\ub9b0\u0020\uc544\uc774\uc758\u00
20\ucd08\uc0c1\ud654\uac00\u0020\ucc28\ub840\u
b85c\u0020\ub098\ud0c0\ub0ac\ub2e4\u002e\u0020
\ub0a8\uc790\ub294\u0020\uadf8\ub4e4\uc758\u00
20\ub208\ube5b\uc774\u0020\uadf8\ub97c\u0020\u
b530\ub77c\u0020\uc6c0\uc9c1\uc774\ub294\u0020
\ub4ef\ud55c\u0020\ucc29\uac01\uc744\u0020\ub29
0\uaf08\ub2e4\u002e\u0020\ub9c8\uce58\u0020\ua
df8\ub4e4\uc774\u0020\uadf8\uc758\u0020\ubaa8\u
b4e0\u0020\uc6c0\uc9c1\uc784\uc744\u0020\uc9c0\

ucf1c\ubcf4\uace0\u0020\uc870\uc6a9\ud788\u0020
\uacbd\uace0\ud558\uace0\u0020\uc788\ub294\u00
20\uac83\ucc98\ub7fc\u002e\u000d

\u000d

\u0032\uce35\uc73c\ub85c\u0020\uc62c\ub77c\uc11
c\uc790\u002c\u0020\ub0a8\uc790\ub294\u0020\ua
e34\u0020\ubcf5\ub3c4\uc640\u0020\uc5ec\ub7ec\u
0020\uac1c\uc758\u0020\ubb38\ub4e4\uc744\u0020
\ub9c8\uc8fc\ud588\ub2e4\u002e\u0020\uac01\u002
0\ubb38\uc740\u0020\uc11c\ub85c\u0020\ub2e4\ub
978\u0020\uc774\uc57c\uae30\ub97c\u0020\uac04\
uc9c1\ud558\uace0\u0020\uc788\ub294\u0020\ub4e
f\ud588\ub2e4\u002e\u0020\uadf8\ub294\u0020\ucc
ab\u0020\ubc88\uc9f8\u0020\ubb38\uc744\u0020\u
c5f4\uc5c8\ub2e4\u002e\u0020\uadf8\u0020\uc548\
uc740\u0020\uc5b4\ub450\ucef4\ucef4\ud55c\u0020
\uce68\uc2e4\uc774\uc5c8\ub2e4\u002e\u0020\uce6
8\uc2e4\uc740\u0020\uba3c\uc9c0\ub85c\u0020\ub
4a4\ub36e\uc5ec\u0020\uc788\uc5c8\uc9c0\ub9cc\u

002c\u0020\ud55c\ub54c\uc758\u0020\ud654\ub824
\ud568\uc744\u0020\uc9d0\uc791\ud560\u0020\uc2
18\u0020\uc788\uc5c8\ub2e4\u002e\u000d

\u000d

\uce68\ub300\uc5d0\ub294\u0020\ub450\ud130\uc6
b4\u0020\uc774\ubd88\uc774\u0020\ub36e\uc5ec\u
0020\uc788\uc5c8\uace0\u002c\u0020\ubd88\ub8e9
\ud55c\u0020\uce68\ub300\ubcf4\ub97c\u0020\uc5f
4\uc790\u002c\u0020\ube44\uc5b4\uc788\ub294\u0
020\ud018\ud018\ud55c\u0020\uacf5\uae30\uac00\
u0020\ud280\uc5b4\ub098\uc654\ub2e4\u002e\u002
0\uce68\ub300\u0020\uba38\ub9ac\ub9e1\uc5d0\ub
294\u0020\ub0a1\uc740\u0020\uc561\uc790\uac00\
u0020\uac78\ub824\u0020\uc788\uc5c8\ub2e4\u002
e\u0020\uc561\uc790\u0020\uc18d\u0020\uc0ac\uc
9c4\uc740\u0020\uc2dc\uac04\uc774\u0020\uc9c0\u
b098\u0020\ud750\ub824\uc84c\uc9c0\ub9cc\u002c
\u0020\uadf8\u0020\uc18d\u0020\uc778\ubb3c\uc7
58\u0020\ub208\uc740\u0020\uc5ec\uc804\ud788\u

0020\ub69c\ub837\ud588\ub2e4\u002e\u0020\ub0a
8\uc790\ub294\u0020\uadf8\u0020\uc0ac\uc9c4\u00
20\uc18d\u0020\ub208\ube5b\uc774\u0020\uc790\u
c2e0\uc744\u0020\uaff0\ub6ab\uc5b4\u0020\ubcf4\
ub294\u0020\ub4ef\ud55c\u0020\ub290\ub08c\uc74
4\u0020\ubc1b\uc558\ub2e4\u002e\u000d

\u000d

\ub0a8\uc790\ub294\u0020\uce68\uc2e4\uc744\u00
20\ub5a0\ub098\u0020\ubcf5\ub3c4\ub85c\u0020\u
b3cc\uc544\uc654\ub2e4\u002e\u0020\uadf8\ub294\
u0020\ub2e4\uc74c\u0020\ubb38\uc744\u0020\uc5f
4\uc5c8\uace0\u002c\u0020\uadf8\uacf3\uc740\u00
20\uc791\uc740\u0020\uc11c\uc7ac\uc600\ub2e4\u0
02e\u0020\uc11c\uc7ac\ub294\u0020\ucc45\uacfc\u
0020\ubb38\uc11c\ub85c\u0020\uac00\ub4dd\u0020
\ucc28\u0020\uc788\uc5c8\uace0\u002c\u0020\uc91
1\uc559\uc5d0\ub294\u0020\ub0a1\uc740\u0020\uc
c45\uc0c1\uc774\u0020\uc790\ub9ac\u0020\uc7a1\u
ace0\u0020\uc788\uc5c8\ub2e4\u002e\u000d

\u000d

\uc11c\uc7ac\uc758\u0020\ubcbd\uc5d0\ub294\u00
20\uc774\uc0c1\ud55c\u0020\uc0c1\uc9d5\uacfc\u0
020\uadf8\ub9bc\ub4e4\uc774\u0020\uadf8\ub824\
uc838\u0020\uc788\uc5c8\ub2e4\u002e\u0020\uadf
8\uc758\u0020\uc2dc\uc120\uc774\u0020\ud55c\u0
020\uc0c1\uc9d5\uc5d0\u0020\uba38\ubb34\ub974\
uc790\u002c\u0020\uc0c1\uc9d5\uc740\u0020\ub9c
8\uce58\u0020\uc6c0\uc9c1\uc774\ub294\u0020\ub
4ef\ud55c\u0020\ucc29\uac01\uc744\u0020\uc77c\u
c73c\ucf30\ub2e4\u002e\u0020\uadf8\u0020\uc0c1\
uc9d5\ub4e4\uc774\u0020\ud55c\u0020\uacf3\uc5d
0\u0020\ubaa8\uc774\ub294\u0020\uac83\ub9cc\u0
020\uac19\uc774\u002e\u0020\uadf8\ub294\u0020\
uc774\uc0c1\ud55c\u0020\uae30\ubd84\uc744\u002
0\ub290\ub07c\uba70\u0020\uc11c\uc7ac\ub97c\u0
020\ub5a0\ub098\u0020\ub354\u0020\ub2a6\uae30
\u0020\uc804\uc5d0\u0020\ub2e4\ub978\u0020\ubc
29\uc73c\ub85c\u0020\ud5a5\ud588\ub2e4\u002e\u

000d

\u000d

\ub2e4\uc74c\u0020\ubc29\uc740\u0020\uc624\ub7
98\ub41c\u0020\uc2dd\ub2f9\uc774\uc5c8\ub2e4\u0
02e\u0020\uc2dd\ud0c1\u0020\uc704\uc5d0\ub294\
u0020\ub0a1\uc740\u0020\uc2dd\uae30\uc640\u002
0\uc794\ud574\ub4e4\uc774\u0020\ub110\ube0c\ub
7ec\uc838\u0020\uc788\uc5c8\ub2e4\u002e\u0020\
uc2dd\ub2f9\uc758\u0020\ubcbd\uc5d0\ub294\u002
0\uac00\uc871\uc758\u0020\uc2dd\uc0ac\u0020\uc7
a5\uba74\uc744\u0020\uadf8\ub9b0\u0020\uadf8\u
b9bc\uc774\u0020\uac78\ub824\u0020\uc788\uc5c8
\ub2e4\u002e\u0020\uadf8\u0020\uadf8\ub9bc\u00
20\uc18d\u0020\uc778\ubb3c\ub4e4\uc758\u0020\u
d45c\uc815\uc740\u0020\uc5b4\ub518\uac00\u0020
\uae30\uad34\ud588\ub2e4\u002e\u0020\ub0a8\uc7
90\ub294\u0020\uc2dd\ub2f9\uc758\u0020\uacf5\ua
e30\uac00\u0020\ubb34\uac81\uac8c\u0020\ub290\
uaef4\uc84c\uace0\u002c\u0020\ub4a4\ub97c\u0020

\ub3cc\uc544\ubcf4\uc558\uc744\u0020\ub54c\u002
c\u0020\ubb38\uc774\u0020\uc0ac\ub77c\uc838\u0
020\uc788\uc5c8\ub2e4\u002e\u0020\ub0a8\uc790\
ub294\u0020\ubb38\uc774\u0020\uc788\ub358\u00
20\uc790\ub9ac\ub85c\u0020\ub2e4\uac00\uac14\u
ace0\u002c\u0020\ubb38\uc774\u0020\uadf8\u0020
\uc790\ub9ac\uc5d0\u0020\uc788\ub294\u0020\uac
83\uc744\u0020\ud655\uc778\ud588\ub2e4\u002e\u
000d

\u000d

\uadf8\ub294\u0020\uc7a0\uc2dc\u0020\uc228\uc74
4\u0020\uba48\ucd94\uace0\u0020\uc8fc\ubcc0\uc7
44\u0020\ub458\ub7ec\ubcf4\uc558\ub2e4\u002e\u
0020\uc2dd\ub2f9\uc758\u0020\ud55c\ucabd\u0020
\uad6c\uc11d\uc5d0\ub294\u0020\ub0a1\uc740\u00
20\ubcbd\ub09c\ub85c\uac00\u0020\uc788\uc5c8\u
ace0\u002c\u0020\uadf8\u0020\uc548\uc5d0\ub294\
u0020\uc624\ub798\ub41c\u0020\uc7ac\uac00\u002
0\ub0a8\uc544\u0020\uc788\uc5c8\ub2e4\u002e\u0

020\uadf8\uac83\uc744\u0020\ud5e4\uce58\uc790\u
0020\uc544\uc9c1\u0020\uaebc\uc9c0\uc9c0\u0020\
uc54a\uace0\u0020\uc228\uc740\u0020\ubd88\uc52
8\uac00\u0020\ub098\ud0c0\ub0ac\ub2e4\u002e\u0
020\uadf8\ub294\u0020\uc2dd\ub2f9\uc744\u0020\
ubc97\uc5b4\ub098\uae30\u0020\uc704\ud574\u002
0\ub2e4\uc2dc\u0020\ubb38\uc744\u0020\ucc3e\uc
544\u0020\ub098\uc130\ub2e4\u002e\u000d

\u000d

\ubcf5\ub3c4\ub97c\u0020\ub530\ub77c\u0020\uac
77\ub294\u0020\ub3d9\uc548\u002c\u0020\ub0a8\
uc790\ub294\u0020\uc810\ucc28\u0020\uc800\ud0d
d\uc5d0\u0020\ub300\ud55c\u0020\uce5c\uadfc\uac
10\uc744\u0020\ub290\uaf08\ub2e4\u002e\u0020\u
bcf5\ub3c4\uc758\u0020\ubcbd\u002c\u0020\ubc14\
ub2e5\u002c\u0020\uadf8\ub9bc\ub4e4\u0020\ud55
8\ub098\ud558\ub098\uac00\u0020\ub108\ubb34\u
b098\u0020\uc0ac\ub791\uc2a4\ub7ec\uc6e0\ub2e4\
u002e\u0020\uadf8\uc758\u0020\ubc1c\uac78\uc74c

\uc740\u0020\ub354\uc6b1\u0020\ubb34\uac70\uc6
cc\uc84c\uace0\u002c\u0020\ubcf5\ub3c4\uc758\u0
020\ub05d\uc5d0\u0020\ub3c4\ub2ec\ud588\uc744\
u0020\ub54c\u002c\u0020\uadf8\ub294\u0020\ub30
0\ud615\u0020\uac70\uc6b8\uc744\u0020\ubc1c\ua
cac\ud588\ub2e4\u002e\u0020\uac70\uc6b8\u0020\
uc18d\uc5d0\u0020\ube44\uce5c\u0020\uadf8\uc758
\u0020\ubaa8\uc2b5\uc740\u0020\ud750\ub9bf\ud5
58\uace0\u0020\uc65c\uace1\ub418\uc5b4\u0020\u
bcf4\uc600\ub2e4\u002e\u000d

\u000d

\ub0a8\uc790\ub294\u0020\uac70\uc6b8\uc744\u00
20\uac00\ub9cc\ud788\u0020\ubc14\ub77c\ubcf4\uc
558\ub2e4\u002e\u0020\uac70\uc6b8\u0020\uc18d\
u0020\uc138\uacc4\ub294\u0020\ub9c8\uce58\u002
0\ub2e4\ub978\u0020\ucc28\uc6d0\ucc98\ub7fc\u00
20\ubcf4\uc600\uace0\u002c\u0020\uadf8\ub294\u0
020\uc790\uc2e0\uc758\u0020\ubc18\uc601\u0020\
uc18d\uc5d0\uc11c\u0020\uc774\uc0c1\ud55c\u002

0\ud615\uccb4\ub97c\u0020\ubc1c\uacac\ud588\ub
2e4\u002e\u0020\uadf8\u0020\ud615\uccb4\ub294\
u0020\uadf8\ub97c\u0020\uc751\uc2dc\ud558\ub29
4\u0020\ub4ef\ud588\uace0\u002c\u0020\ub0a8\uc
790\ub294\u0020\uc21c\uac04\uc801\uc73c\ub85c\
u0020\ub4a4\ub97c\u0020\ub3cc\uc544\ubcf4\uc55
8\uc73c\ub098\u0020\uc544\ubb34\uac83\ub3c4\u0
020\ubcf4\uc774\uc9c0\u0020\uc54a\uc558\ub2e4\u
002e\u0020\ub2e4\uc2dc\u0020\uace0\uac1c\ub97c\
u0020\ub3cc\ub9ac\ub2c8\u0020\uac70\uc6b8\uc74
0\u0020\uc0ac\ub77c\uc838\uc788\uc5c8\ub2e4\u00
2e\u0020\ucc98\uc74c\ubd80\ud130\u0020\uc5c6\uc
5c8\ub2e4\ub294\u0020\ub4ef\uc774\u0020\uac70\
uc6b8\uc774\u0020\ub193\uc5ec\uc788\ub358\u002
0\uc790\ub9ac\ub294\u0020\uba3c\uc9c0\ub9cc\u0
020\uc313\uc5ec\uc788\uc5c8\ub2e4\u002e\u000d

\u000d

\ub0a8\uc790\uac00\u0020\ud55c\u0020\uc791\uc7
40\u0020\ubc29\uc5d0\u0020\ub4e4\uc5b4\uc130\u

c744\u0020\ub54c\u002c\u0020\uadf8\ub294\u0020
\ucc45\uc0c1\u0020\uc704\uc5d0\u0020\ub193\uc7
78\u0020\uc624\ub798\ub41c\u0020\uc0ac\uc9c4\u
0020\uc568\ubc94\uc744\u0020\ubc1c\uacac\ud588\
ub2e4\u002e\u0020\uc568\ubc94\uc744\u0020\uc5f
4\uc790\u002c\u0020\uc800\ud0dd\uc758\u0020\ua
cfc\uac70\u0020\ubaa8\uc2b5\uacfc\u0020\uadf8\ua
cf3\uc5d0\u0020\uc0b4\uc558\ub358\u0020\uc0ac\u
b78c\ub4e4\uc758\u0020\uc0ac\uc9c4\uc774\u0020\
ub098\uc654\ub2e4\u002e\u0020\uc0ac\uc9c4\u002
0\uc18d\u0020\uc0ac\ub78c\ub4e4\uc758\u0020\ub
208\uc740\u0020\ub9c8\uce58\u0020\uc138\uc6d4\
uc744\u0020\ud6cc\uca4d\u0020\ub6f0\uc5b4\ub11
8\uc5b4\u0020\uadf8\ub97c\u0020\uc9c0\ucf1c\ubcf
4\uace0\u0020\uc788\ub294\u0020\uac83\ucc98\ub
7fc\u0020\ub290\uaef4\uc84c\ub2e4\u002e\u000d

\u000d

\uadf8\ub294\u0020\uc568\ubc94\uc744\u0020\ucc
9c\ucc9c\ud788\u0020\ub118\uae30\uba70\u002c\u

0020\uc800\ud0dd\uc758\u0020\uacfc\uac70\uc5d0\
u0020\ub300\ud574\u0020\uad81\uae08\uc99d\uc74
4\u0020\ub290\uaf08\ub2e4\u002e\u0020\uac01\u0
020\uc0ac\uc9c4\ub9c8\ub2e4\u002c\u0020\uadf8\u
acf3\uc5d0\u0020\uc0b4\uc558\ub358\u0020\uc0ac\
ub78c\ub4e4\uc758\u0020\uc0b6\uacfc\u0020\ube44
\uadf9\uc774\u0020\ub2f4\uaca8\u0020\uc788\uc5c
8\ub2e4\u002e\u0020\uadf8\ub7ec\ub098\u0020\uc
568\ubc94\uc758\u0020\ub9c8\uc9c0\ub9c9\u0020\
ud398\uc774\uc9c0\ub97c\u0020\ub118\uae38\u002
0\ub54c\u002c\u0020\uadf8\ub294\u0020\ub108\ub
b34\ub098\u0020\uc775\uc219\ud55c\u0020\uc5bc\
uad74\uc744\u0020\ubc1c\uacac\ud588\ub2e4\u002
e\u0020\uc790\uc2e0\uc758\u0020\uc5bc\uad74\uc7
44\u0020\ubc1c\uacac\ud558\uace0\u0020\uacbd\uc
545\ud558\uace0\u0020\ub9cc\u0020\uac83\uc774\
ub2e4\u002e\u000d

\u000d

\uadf8\u0020\uc0ac\uc9c4\uc740\u0020\uadf8\uac0

0\u0020\uc774\u0020\uc800\ud0dd\uc5d0\u0020\ub
4e4\uc5b4\uc624\uae30\u0020\uc804\uc5d0\u0020\
ucc0d\ud78c\u0020\uac83\u0020\uac19\uc558\uc9c0
\ub9cc\u002c\u0020\uadf8\ub294\u0020\uadf8\u002
0\uc0ac\uc9c4\uc744\u0020\uae30\uc5b5\ud558\uc9
c0\u0020\ubabb\ud588\ub2e4\u002e\u0020\uadf8\u
c758\u0020\ub208\uc740\u0020\uc0ac\uc9c4\u0020
\uc18d\u0020\uc790\uc2e0\uc758\u0020\ub208\uacf
c\u0020\ub9c8\uc8fc\ucce4\uace0\u002c\u0020\uadf
8\u0020\uc21c\uac04\u0020\uadf8\ub294\u0020\ub
9c8\uce58\u0020\uacfc\uac70\uc758\u0020\uc5b4\u
b5a4\u0020\uc21c\uac04\uc73c\ub85c\u0020\ub04c\
ub824\uac00\ub294\u0020\ub4ef\ud55c\u0020\ub29
0\ub08c\uc744\u0020\ubc1b\uc558\ub2e4\u002e\u0
00d

\u000d

\ub0a8\uc790\ub294\u0020\uc568\ubc94\uc744\u00
20\ub36e\uace0\u002c\u0020\uae4a\uc740\u0020\u
c0dd\uac01\uc5d0\u0020\uc7a0\uacbc\ub2e4\u002e\

u0020\uc0ac\uc9c4\u0020\uc18d\uc758\u0020\uc79
0\uc2e0\uc740\u0020\ubb34\uc5c7\uc744\u0020\uc
54c\uace0\u0020\uc788\uc5c8\ub358\u0020\uac83\
uc77c\uae4c\u003f\u0020\uadf8\ub294\u0020\uc790
\uc2e0\uc758\u0020\uae30\uc5b5\uc744\u0020\ub4
18\uc9da\uc5b4\ubcf4\ub824\u0020\ud588\uc9c0\u
b9cc\u002c\u0020\uc624\ud788\ub824\u0020\ub354
\u0020\ub9ce\uc740\u0020\ud63c\ub780\ub9cc\uc7
74\u0020\ubc00\ub824\uc654\ub2e4\u002e\u0020\u
adf8\ub294\u0020\uc568\ubc94\uc744\u0020\ucc45\
uc0c1\u0020\uc704\uc5d0\u0020\ub193\uace0\u002
0\ubc29\uc744\u0020\ub5a0\ub0ac\ub2e4\u002e\u0
020\ubcf5\ub3c4\ub85c\u0020\ub098\uc11c\uba70\
u002c\u0020\uadf8\ub294\u0020\uc810\uc810\u002
0\ub354\u0020\uc800\ud0dd\uc758\u0020\ubd84\uc
704\uae30\uc5d0\u0020\uc555\ub3c4\ub2f9\ud558\
ub294\u0020\uac83\uc744\u0020\ub290\uaf08\ub2e
4\u002e\u0020\ubcbd\uc758\u0020\uadf8\ub9bc\ub
4e4\u002c\u0020\uba3c\uc9c0\uac00\u0020\uc313\
uc778\u0020\uac00\uad6c\ub4e4\u002c\u0020\uadf
8\ub9ac\uace0\u0020\uc5b4\uc2a4\ub984\ud55c\u0
020\ube5b\uc774\u0020\ub9cc\ub4e4\uc5b4\ub0b4\

ub294\u0020\uadf8\ub9bc\uc790\ub4e4\uc774\u002
0\uadf8\ub97c\u0020\uac10\uc2f8\uace0\u0020\uc7
88\uc5c8\ub2e4\u002e\u0020\uc800\ud0dd\uc740\u
0020\uadf8\uac00\u0020\uc544\ub294\u0020\uc800
\ud0dd\uacfc\u0020\ub2e4\ub978\u0020\ubaa8\uc2
b5\uc73c\ub85c\u0020\uadf8\uc5d0\uac8c\u0020\ub
2e4\uac00\uc654\ub2e4\u002e\u000d

\u000d

\uadf8\ub294\u0020\ud640\uc744\u0020\ubc97\uc5
b4\ub098\u0020\uacc4\uc18d\ud574\uc11c\u0020\u
c9d1\uc744\u0020\ud0d0\ud5d8\ud588\ub2e4\u002e
\u0020\ub2e4\uc74c\u0020\ubc29\uc740\u0020\uc7
91\uc740\u0020\uc74c\uc545\uc2e4\uc774\uc5c8\ub
2e4\u002e\u0020\ub0a8\uc790\ub294\u0020\uc74c\
uc545\uc2e4\u0020\ud55c\uac00\uc6b4\ub370\uc5d
0\u0020\uc130\uc744\u0020\ub54c\u002c\u0020\ub
bf8\uc138\ud55c\u0020\uc18c\ub9ac\ub97c\u0020\u
b4e4\uc5c8\ub2e4\u002e\u0020\uadf8\u0020\uc18c\
ub9ac\ub294\u0020\ub9c8\uce58\u0020\ubcbd\uc5d

0\u0020\uac78\ub9b0\u0020\uac70\uc7a5\ub4e4\uc
758\u0020\uadf8\ub9bc\ub4e4\uc774\u0020\uc11c\
ub85c\u0020\uc18d\uc0ad\uc774\ub294\u0020\ub4e
f\ud588\ub2e4\u002e\u0020\uadf8\ub294\u0020\uc
8fc\ubcc0\uc744\u0020\ub458\ub7ec\ubcf4\uc558\u
c9c0\ub9cc\u002c\u0020\uc544\ubb34\uac83\ub3c4\
u0020\ubcf4\uc774\uc9c0\u0020\uc54a\uc558\ub2e4
\u002e\u0020\uacf5\uae30\ub294\u0020\ubb34\uac
81\uace0\u0020\ucc28\uac00\uc6e0\ub2e4\u002e\u0
020\ubc29\u0020\uc548\uc5d0\ub294\u0020\uba3c\
uc9c0\uac00\u0020\uc313\uc778\u0020\ud53c\uc54
4\ub178\uc640\u0020\uc5ec\ub7ec\u0020\uc545\ua
e30\ub4e4\uc774\u0020\uc788\uc5c8\ub2e4\u002e\
u0020\ub0a8\uc790\ub294\u0020\ud53c\uc544\ub17
8\uc5d0\u0020\uc190\uc744\u0020\ub300\uc5c8\uc
744\u0020\ub54c\u002c\u0020\uc5ec\uae30\u0020\
uc624\uae30\u0020\uba87\u0020\ubd84\u0020\uc80
4\uc5d0\u0020\ub204\uad70\uac00\uac00\u0020\uc
774\ubbf8\u0020\uadf8\u0020\uc790\ub9ac\uc5d0\u
0020\uc549\uc544\u0020\uc5f0\uc8fc\ub97c\u0020\
ud588\ub358\u0020\ub4ef\ud55c\u0020\ucc29\uac0
1\uc744\u0020\ub290\uaf08\ub2e4\u002e\u000d

\u000d

\uadf8\ub294\u0020\uc545\uae30\ub4e4\uc744\u00
20\uc870\uc2ec\uc2a4\ub7fd\uac8c\u0020\uc0b4\ud
3b4\ubcf4\uc558\ub2e4\u002e\u0020\uac01\u0020\
uc545\uae30\ub294\u0020\uc624\ub79c\u0020\uc2d
c\uac04\u0020\ub3d9\uc548\u0020\uc0ac\uc6a9\ub
418\uc9c0\u0020\uc54a\uc544\u0020\ub0a1\uace0\
u0020\uc190\uc0c1\ub418\uc5c8\uc9c0\ub9cc\u002c
\u0020\uc5ec\uc804\ud788\u0020\uadf8\ub4e4\ub9c
c\uc758\u0020\uc544\ub984\ub2e4\uc6c0\uc744\u0
020\uac04\uc9c1\ud558\uace0\u0020\uc788\uc5c8\u
b2e4\u002e\u0020\uc74c\uc545\uc2e4\uc758\u0020
\ud55c\u0020\ucf20\uc5d0\ub294\u0020\uc624\ub7
98\ub41c\u0020\uc545\ubcf4\uac00\u0020\ub193\u
c5ec\u0020\uc788\uc5c8\uace0\u002c\u0020\uadf8\
u0020\uc704\uc5d0\ub294\u0020\uc775\uc219\ud55
c\u0020\uba5c\ub85c\ub514\uac00\u0020\uc801\ud
600\u0020\uc788\uc5c8\ub2e4\u002e\u0020\uadf8\
uac83\uc744\u0020\uc5f0\uc8fc\ud558\uc790\u0020

\ubc15\uc218\u0020\uac08\ucc44\uac00\u0020\ubcf
5\ub3c4\u0020\ucabd\uc5d0\uc11c\u0020\ub4e4\ub
824\uc654\ub2e4\u002e\u0020\ub0a8\uc790\ub294\
u0020\ubcf5\ub3c4\uc5d0\u0020\uace0\uac1c\ub97c
\u0020\ub0b4\ubc00\uc5c8\uc9c0\ub9cc\u002c\u002
0\uc544\ubb34\ub3c4\u0020\uc5c6\uc5c8\ub2e4\u0
02e\u000d

\u000d

\uadf8\ub294\u0020\ubc15\uc218\uac08\ucc44\uc75
8\u0020\uc18c\ub9ac\ub97c\u0020\ub530\ub77c\u0
020\ubcf5\ub3c4\ub97c\u0020\uac78\uc5c8\ub2e4\u
002e\u0020\uc6c3\uc74c\u0020\uc18c\ub9ac\u002c\
u0020\ube44\uc6c3\ub294\u0020\uc18c\ub9ac\u002
c\u0020\ub610\ub2e4\ub978\u0020\uac08\ucc44\u0
020\uc18c\ub9ac\uac00\u0020\ub0a8\uc790\uc758\
u0020\ubcf5\ub3c4\ub85c\u0020\ud5a5\ud558\ub29
4\u0020\uc5ec\uc815\uc744\u0020\ud568\uaed8\u0
020\ud588\ub2e4\u002e\u0020\ub0a8\uc790\ub294\
u0020\ubcf5\ub3c4\uac00\u0020\uae30\uc6b8\uc5b

4\uc9c0\ub294\u0020\ub290\ub08c\uc5d0\u0020\ub
cbd\uc744\u0020\uc9da\uace0\u0020\ud718\uccad\
uac70\ub838\ub2e4\u002e\u0020\uadf8\ub294\u002
0\ubb38\ub4dd\u0020\uc0dd\uac01\ud588\ub2e4\u0
02e\u0020\uc790\uc2e0\uc774\u0020\uc5b4\ub5bb\
uac8c\u002c\u0020\uc65c\u0020\uc800\ud0dd\uc5d
0\u0020\uc654\ub294\uc9c0\u0020\uae30\uc5b5\uc
774\u0020\ub098\uc9c0\u0020\uc54a\uc558\ub2e4\
u002e\u0020\uc774\uacf3\uc744\u0020\ub098\uac0
0\uc57c\u0020\ud574\u002e\u0020\ub0a8\uc790\ub
294\u0020\uc2dd\uc740\ub540\uc744\u0020\ud758\
ub9ac\uba70\u0020\uc911\uc5bc\uac70\ub838\ub2e
4\u002e\u0020\u000d

\u000d

\ub0a8\uc790\ub294\u0020\ub4a4\ub97c\u0020\ub3
cc\uc544\ubcf4\uc558\ub2e4\u002e\u0020\ubb34\uc
5b8\uac00\u0020\uc788\ub2e4\u002e\u0020\ud558\
uc9c0\ub9cc\u0020\uadf8\uc758\u0020\ub208\uc5d0
\ub294\u0020\uc544\ubb34\uac83\ub3c4\u0020\ubc

f4\uc774\uc9c0\u0020\uc54a\uc558\ub2e4\u002e\u0
020\ub0a8\uc790\ub294\u0020\ubc1c\ubc84\ub465\
uce58\uba70\u0020\uc55e\uc73c\ub85c\u0020\ub2e
c\ub824\ub098\uac14\ub2e4\u002e\u0020\ubcf5\ub
3c4\u002c\u0020\ubc29\u002c\u0020\ubcf5\ub3c4\u
002c\u0020\ubc29\u002e\u0020\uc544\ubb34\uac83
\ub3c4\u0020\uc5c6\ub2e4\u002e\u0020\ubcf5\ub3c
4\ub294\u0020\ud145\u0020\ube44\uc5b4\uc788\uc
5c8\ub2e4\u002e\u0020\uacc4\ub2e8\uc740\u0020\
uc5c6\uc5c8\uace0\u002c\u0020\ubcf5\ub3c4\uac00
\u0020\ub0a8\uc790\ub97c\u0020\uc9d1\uc5b4\uc0
bc\ud0ac\u0020\uac83\ucc98\ub7fc\u0020\uac00\ua
e4c\uc774\u0020\ub2e4\uac00\uc654\ub2e4\u002e\
u000d

\u000d

\uc0ac\ub77c\uc9c0\uace0\u0020\uc2f6\uc9c0\u002
0\uc54a\uc544\u002e\u0020\ub0a8\uc790\ub294\u0
020\uc6b8\uba39\uc600\ub2e4\u002e\u0020\uac08\
ucc44\u0020\uc18c\ub9ac\uac00\u0020\uadf8\uc5d0

\uac8c\u0020\uac00\uae4c\uc774\u0020\ub2e4\uac0
0\uc654\ub2e4\u002e\u0020\ub9c8\uc9c0\ub9c9\u0
020\ub531\u0020\ud558\ub294\u0020\ubc15\uc218
\u0020\uc18c\ub9ac\ub97c\u0020\ub05d\uc73c\ub8
5c\u0020\ub0a8\uc790\ub294\u0020\uadf8\ub4e4\u
acfc\u0020\ud568\uaed8\ud558\uac8c\u0020\ub418\
uc5c8\ub2e4\u002e\u000d

\u000d

\ub0a8\uc790\ub294\u0020\ub208\uc744\u0020\ub
5b4\ub2e4\u002e\u0020\uc5b4\ub450\uc6b4\u0020\
ubcf5\ub3c4\uac00\u0020\ubcf4\uc600\ub2e4\u002e
\u0020\uc0c8\ub85c\uc6b4\u0020\ubc29\ubb38\uc7
90\uac00\u0020\uc624\uace0\u0020\uc788\ub2e4\u
002e\u0020\ub0a8\uc790\ub294\u0020\uac08\ucc44
\ub97c\u0020\ubcf4\ub0b4\uc57c\ud55c\ub2e4\u002
e

친애하는 벗에게

답장 잘 받았다. 읽는데 성공했는가? 축하한다. 정말 길고 귀찮은 여정이었을텐데, 진심어린 찬사를 보내겠다.

나 또한 당신과 비슷한 시기에 해독하는데 성공했다. 따라서 이 편지에 그 열매를 제공하려 한다. 부디 나의 선물을 기꺼이 받아 들여주시길 바란다.

“

짙은 안개가 마을을 감싸 안은 새벽, 고독하게 서 있는 고딕 풍의 저택이 눈에 들어왔다. 그것은 마치 세월의 무게를 온전히 짊어진 채, 그대로 시간의 흐름에서 잊힌 듯했다. 침입자를 막는 벽돌은 풍화되어 색이 바랬고, 창문들은 먼지와 거미줄에게 그 몸을 허용한지 오래였다.

한 남자는 저택 앞에 조용히 멈춰 섰다. 그의 시선은 철제 대문의 복잡한 문양과 그 위에 자리 잡은 녹슬고 날카로운 철조망에 머물렀다. 그는 잠시 숨을 멈추고 귀를 기울였다. 저택에서는 아무런 소리도 들리지 않았다. 그저 고요함만이 그의 귓가를 맴돌았다. 왜 아무 소리도 들리지 않지? 남자는 조용히 중얼거렸다.

남자는 조심스레 대문의 손잡이를 쥐었다. 차갑다. 철제 대문은 무겁게, 그를 환영하듯 천천히 열렸다. 그와 함께 뿌연 먼지가 흩날렸고, 삐걱거리는 소리가 고요한 공기를 찢었다. 방문자가 그의 방문을 알아차렸을지도 모른다.

문을 통과하자, 남자는 시간이 정지된 듯한 저택의 내부에 들어섰다. 공기는 묵직하고, 곰팡이 냄새와 오래된 종이의 냄새가 섞여 있었다. 낡은 벽지는 여기저기 찢어지고 벗겨져 있었고, 바닥은 먼지로 뒤덮여 있었다.

그는 복도를 따라 천천히 걸었다. 복도의 벽에는 희미한 초상화들이 걸려 있었고, 그림 속 인물들은 마치 살아있는 듯 그를 바라보고 있었다. 그들의 눈빛은 무언가를 암시하는 듯하면서도, 비밀을 간직한 채 침묵하고 있었다. 그들의 눈동자는 남자의 너머 무언가를 보고 있었다.

복도 끝에는 오래된 나무문이 있었다. 남자는 그 문을 열고, 서재로 들어섰다. 서재는 오래된 책들과 문서들로 가득 차 있었다. 책장의 각 선반에는 먼지가 쌓인 책들이 빼곡히 들어차 있었고, 서재의 공기는 지식과 비밀이 혼재된 듯했다.

남자는 서재 한가운데에 놓인 책상에 다가갔다. 책상 위에는 잉크병과 펜, 그리고 흩어진 종이들이 놓여 있었다. 그 중 한 장의 종이에는 희미하게 바랜 손글씨로 무언가 쓰여 있었다. 그는 그 글자들을 읽으려 했지만, 한 글자 한 글자 읽을 때마다 그의 영혼시간이 지나면서 그 의미는 흐려져만 갔다.

그는 눈앞에 있는 책 한 권을 집어 들었다. 책의 표지는 낡고 손때 묻은 알 수 없는 동물의 가죽으로 되어 있었다. 페이지를 조심스럽게 넘기자, 오래된 종이의 냄새가 퍼져 나왔다. 책의 각 페이지에는 미친듯이 떨리는 손으로 직접 쓴 글귀와 그림들이 가득했다. 그림들은 어두운 숲, 기이한 생물들, 그리고 복잡한 상징들로 가득 차 있었다. 그것들을 눈에 담을 때마다 남자는 자신의 영혼이 빨려들어가는 듯한 감각을 느꼈다.

남자는 책을 천천히 덮었다. 그의 눈은 서재 안을 둘러보았다. 책장 사이에서, 그늘처럼 어스름한 먼지가 흩날렸다. 그는 책상 위의 종이들을 다시 살펴보았다. 책이 되지 못한 종이들. 종이들은 오래되어 변색되었고, 글자들은 마치 고대의 비밀을 간직한 듯 신비로웠다.

그는 서재를 떠나 다시 복도로 나왔다. 복도 끝에 보이는 계단으로 향하며, 그는 저택이 숨기고 있는 더 많은 비밀들을 찾아내기로 마음먹었다. 계단을 오르면서, 그는 알지 못했다. 저택은 이미 그를 자신의 일부로 받아들이고 있었으며, 그의 운명은 점점 더 깊은 신비 속으로 빠져들고 있었다.

계단을 오르는 남자의 발걸음은 무겁고 조심스러웠다. 나무 계단은 그의 무게에 삐걱거리며, 마치 오래된 저택이 그의 존재를 인지하는 듯했다. 그는 계단을 따라 올라가며, 어스름한 빛 속에서 벽에 걸린 그림들을 바라보았다.

2층의 초상화는 저택의 역사를 말해주는 듯했다. 고귀한 옷차림을 한 귀족, 엄격한 표정의 여인, 그리고 무표정한 어린 아이의 초상화가 차례로 나타났다. 남자는 그들의 눈빛이 그를 따라 움직이는 듯한 착각을 느꼈다. 마치 그들이 그의 모든 움직임을 지켜보고 조용히 경고하고 있는 것처럼.

2층으로 올라서자, 남자는 긴 복도와 여러 개의 문들을 마주했다. 각 문은 서로 다른 이야기를 간직하고 있는 듯했다. 그는 첫 번째 문을 열었다. 그 안은 어두컴컴한 침실이었다. 침실은 먼지로 뒤덮여 있었지만, 한때의 화려함을 짐작할 수 있었다.

침대에는 두터운 이불이 덮여 있었고, 불룩한 침대보를 열자, 비어있는 퀘퀘한 공기가 튀어나왔다. 침대 머리맡에는 낡은 액자가 걸려 있었다. 액자 속 사진은 시간이 지나 흐려졌지만, 그 속 인물의 눈은 여전히 뚜렷했다. 남자는 그 사진 속 눈빛이 자신을 꿰뚫어 보는 듯한 느낌을 받았다.

남자는 침실을 떠나 복도로 돌아왔다. 그는 다음 문을 열었고, 그곳은 작은 서재였다. 서재는 책과 문서로 가득 차 있었고, 중앙에는 낡은 책상이 자리 잡고 있었다.

서재의 벽에는 이상한 상징과 그림들이 그려져 있었다. 그의 시선이 한 상징에 머무르자, 상징은 마치 움직이는 듯한 착각을 일으켰다. 그 상징들이 한 곳에 모이는 것만 같이. 그는 이상한 기분을 느끼며 서재를 떠나 더 늦기 전에 다른 방으로 향했다.

다음 방은 오래된 식당이었다. 식탁 위에는 낡은 식기와 잔해들이 널브러져 있었다. 식당의 벽에는 가족의 식사 장면을 그린 그림이 걸려 있었다. 그 그림 속 인물들의 표정은 어딘가 기괴했다. 남자는 식당의 공기가 무겁게 느껴졌고, 뒤를 돌아보았을 때, 문이 사라져 있었다. 남자는 문이 있던 자리로 다가갔고, 문이 그 자리에 있는 것을 확인했다.

그는 잠시 숨을 멈추고 주변을 둘러보았다. 식당의 한쪽 구석에는 낡은 벽난로가 있었고, 그 안에는 오래된 재가 남아 있었다. 그것을 헤치자 아직 꺼지지 않고 숨은 불씨가 나타났다. 그는 식당을 벗어나기 위해 다시 문을 찾아 나섰다.

복도를 따라 걷는 동안, 남자는 점차 저택에 대한 친근감을 느꼈다. 복도의 벽, 바닥, 그림들 하나하나가 너무나 사랑스러웠다. 그의 발걸음은 더욱 무거워졌고, 복도의 끝에 도달했을 때, 그는 대형 거울을 발견했다. 거울 속에 비친 그의 모습은 흐릿하고 왜곡되어 보였다.

남자는 거울을 가만히 바라보았다. 거울 속 세계는 마치 다른 차원처럼 보였고, 그는 자신의 반영 속에서 이상한 형체를 발견했다. 그 형체는 그를 응시하는 듯했고, 남자는 순간적으로 뒤를 돌아보았으나 아무것도 보이지 않았다. 다시 고개를 돌리니 거울은 사라져있었다. 처음부터 없었다는 듯이 거울이 놓여있던 자리는 먼지만 쌓여있었다.

남자가 한 작은 방에 들어섰을 때, 그는 책상 위에 놓인 오래된 사진 앨범을 발견했다. 앨범을 열자, 저택의 과거 모습과 그곳에 살았던 사람들의 사진이 나왔다. 사진 속 사람들의 눈은 마치 세월을 훌쩍 뛰어넘어 그를 지켜보고 있는 것처럼 느껴졌다.

그는 앨범을 천천히 넘기며, 저택의 과거에 대해 궁금증을 느꼈다. 각 사진마다, 그곳에 살았던 사람들의 삶과 비극이 담겨 있었다. 그러나 앨범의 마지막 페이지를 넘길 때, 그는 너무나 익숙한 얼굴을 발견했다. 자신의 얼굴을 발견하고 경악하고 만 것이다.

그 사진은 그가 이 저택에 들어오기 전에 찍힌 것 같았지만, 그는 그 사진을 기억하지 못했다. 그의 눈은 사진 속 자신의 눈과 마주쳤고, 그 순간 그는 마치 과거의 어떤 순간으로 끌려가는 듯한 느낌을 받았다.

남자는 앨범을 덮고, 깊은 생각에 잠겼다. 사진 속의 자신은 무엇을 알고 있었던 것일까? 그는 자신의 기억을 되짚어보려 했지만, 오히려 더 많은 혼란만이 밀려왔다. 그는 앨범을 책상 위에 놓고 방을 떠났다. 복도로 나서며, 그는 점점 더 저택의 분위기에 압도당하는 것을 느꼈다. 벽의 그림들, 먼지가 쌓인 가구들, 그리고 어스름한 빛이 만들어내는 그림자들이 그를 감싸고 있었다. 저택은 그가 아는 저택과 다른 모습으로 그에게 다가왔다.

그는 홀을 벗어나 계속해서 집을 탐험했다. 다음 방은 작은 음악실이었다. 남자는 음악실 한가운데에 섰을 때, 미세한 소리를 들었다. 그 소리는 마치 벽에 걸린 거장들의 그림들이 서로 속삭이는 듯했다. 그는 주변을 둘러보았지만, 아무것도 보이지 않았다. 공기는 무겁고 차가웠다. 방 안에는 먼지가 쌓인 피아노와 여러 악기들이 있었다. 남자는 피아노에 손을 대었을 때, 여기 오기 몇 분 전에 누군가가 이미 그 자리에 앉아 연주를 했던 듯한 착각을 느꼈다.

그는 악기들을 조심스럽게 살펴보았다. 각 악기는 오랜 시간 동안 사용되지 않아 낡고 손상되었지만, 여전히 그들만의 아름다움을 간직하고 있었다. 음악실의 한 켠에는 오래된 악보가 놓여 있었고, 그 위에는 익숙한 멜로디가 적혀 있었다. 그것을 연주하자 박수 갈채가 복도 쪽에서 들려왔다. 남자는 복도에 고개를 내밀었지만, 아무도 없었다.

그는 박수갈채의 소리를 따라 복도를 걸었다. 웃음 소리, 비웃는 소리, 또다른 갈채 소리가 남자의 복도로 향하는 여정을 함께 했다. 남자는 복도가 기울어지는 느낌에 벽을 짚고 휘청거렸다. 그는 문득 생각했다. 자신이 어떻게, 왜 저택에 왔는지 기억이 나지 않았다. 이곳을 나가야 해. 남자는 식은 땀을 흘리며 중얼거렸다.

남자는 뒤를 돌아보았다. 무언가 있다. 하지만 그의 눈에는 아무것도 보이지 않았다. 남자는 발버둥치며 앞으로 달려나갔다. 복도, 방, 복도, 방. 아무것도 없다. 복도는 텅 비어있었다. 계단은 없었고, 복도가 남자를 집어삼킬 것처럼 가까이 다가왔다.

사라지고 싶지 않아. 남자는 울먹였다. 갈채 소리가 그에게 가까이 다가왔다. 마지막 딱 하는 박수 소리를 끝으로 남자는 그들과 함께하게 되었다.

남자는 눈을 떴다. 어두운 복도가 보였다. 새로운 방문자가 오고 있다. 남자는 갈채를 보내야한다.

"

먼저 내가 당신에게 할 말은 사과이다. 사실 당신에게 말하지 않은 사실이 몇 가지 있다. 이 소설을 쓴 것이 내 친구긴 하지만, 그 친구는 남들과 조금 다르다는 사실이다.

그 친구는 뇌 대신 알고리즘을 가지고 있으며, 사람의 언어 대신 컴퓨터의 언어를 사용하는 것을 즐긴다. 그 친구의 이름은 인공지능(artificial intelligence, AI)이며, 그 친구가 손수 자신의 힘으로 만든 소설을 암호화한 장본인이 이 편지를 쓰는 나라는 사실이다.

이 소설은 "저택에서 한 남자가 저택의 비밀을 조사하다 마지막에는 저택과 하나가 되는 소설을 써줘", 라고 물었을 때 나의 친구이자 소설 동료인 AI가 친절하게 작성해준 단편 소설이다. 사소한 오탈자나 다음 이야기를 들려줄 수 있겠냐는 정중한 부탁 정도를 제외하면, 나는 그 친구의 창작에 간섭하지 않았다.

추상적이고 간결하지만, 어둡고 섬세한 묘사는 나의 AI 친구가 호러 소설을 어떻게 생각하고 있는지 그 작품관을 보여준다고 할 수 있겠다.

그러니 이제 무기질적이며 딱딱한 인공지능의 언어로 빚어낸 언어를 인간의 언어로 한 문장, 한 문장 탐구해나가보자. 물론 내 사소한 장난에 어울려주지 않고 그 친구에게 직접 가서 이걸 어떻게 쓴 건지 직접 물어볼 수도 있다. 누구도 당신을 탓할 수 없을 것이다.

하지만 내가 권장하는 방식은 그렇지 않다. 나는 인간이 아닌 존재가 빚은 이 글을 당신이 어둠 속을 더듬어나가듯이, 하나하나 순서대로 읽으며 그 질감을 느꼈으면 좋겠다.

어느 쪽이든, 소설 속 남자와 함께 저택의 비밀을 감각하는 느낌을 만끽해주길 바란다. 모두 다 읽었다면 당신은 나와 AI 동료의 갈채를 받기에 충분하다.

자, 여기 또다른 소설이 있다. 준비가 충분히 되었다면 이번에도 흥미롭게 읽어주시기 바란다. 방식은 똑같다. 소설이며, 유니코드로 이루어져있다. 그리고 내 AI 친구는 독자인 당신에게 여전히 할 말이 많고, 이 소설 또한 당신이 읽어주기만을 애타게 기다리고 있다.

\ud0dc\uc591\uc774\u0020\ub192\uac8c\u0020\ub5
a0\uc624\ub978\u0020\ud558\ub298\u0020\uc544\
ub798\u002c\u0020\ub180\uc774\uacf5\uc6d0\uc75
8\u0020\ub300\ubb38\uc774\u0020\ud65c\uc9dd\u0
020\uc5f4\ub824\u0020\uc788\uc5c8\ub2e4\u002e\
u0020\uc544\uc774\ub294\u0020\ubd80\ubaa8\ub2
d8\uc758\u0020\uc190\uc744\u0020\uc7a1\uace0\u
0020\ub4e4\uc5b4\uc11c\uba70\u002c\u0020\ub208
\uc55e\uc5d0\u0020\ud3bc\uccd0\uc9c4\u0020\ud65
4\ub824\ud55c\u0020\ud48d\uacbd\uc5d0\u0020\ub
9c8\uc74c\uc774\u0020\uc124\ub81c\ub2e4\u002e\

u0020\ub180\uc774\uae30\uad6c\ub4e4\uc740\u002
0\ubb34\uc9c0\uac1c\ucc98\ub7fc\u0020\ub2e4\ucc
44\ub86d\uac8c\u0020\ube5b\ub098\uace0\u002c\u
0020\uc6c3\uc74c\uc18c\ub9ac\uc640\u0020\uc74c\
uc545\uc774\u0020\uacf5\uae30\ub97c\u0020\uac00
\ub4dd\u0020\uba54\uc6e0\ub2e4\u002e\u0020\ud5
58\uc9c0\ub9cc\u002c\u0020\uc544\uc774\uc758\u0
020\ubc1c\uac78\uc74c\uc740\u0020\ubb34\uc5b8\
uac00\uc5d0\u0020\uc774\ub04c\ub9ac\ub4ef\u0020
\ud55c\u0020\uc870\uac01\uc0c1\uc5d0\u0020\uba
48\ucdb0\u0020\uc130\ub2e4\u002e\u0020\uc544\u
c774\ub97c\u0020\ubcf8\u0020\uadf8\u0020\uc870\
uac01\uc0c1\uc740\u0020\ubbf8\uc18c\ub97c\u0020
\uc9c0\uc5c8\uc9c0\ub9cc\u002c\u0020\uadf8\u002
0\ub208\ube5b\uc740\u0020\uc758\uc678\ub85c\u0
020\uc4f8\uc4f8\ud574\u0020\ubcf4\uc600\ub2e4\u
002e\u0020\uc544\uc774\ub294\u0020\uc870\uac01
\uc0c1\uc758\u0020\uc778\uc0ac\uc5d0\u0020\uc19
0\uc744\u0020\ud754\ub4e4\uc5b4\u0020\ub2f5\ud
588\ub2e4\u002e\u000d

\u000d

\uc544\uc774\ub294\u0020\uc870\uac01\uc0c1\uc7
44\u0020\uc9c0\ub098\u0020\ub180\uc774\uacf5\u
c6d0\uc758\u0020\uc911\uc2ec\uc73c\ub85c\u0020\
uac78\uc5b4\uac14\ub2e4\u002e\u0020\uae38\uc74
4\u0020\ub530\ub77c\u0020\uac77\ub294\u0020\u
b3d9\uc548\u002c\u0020\uc544\uc774\ub294\u0020
\ud658\uc0c1\uc801\uc778\u0020\uce90\ub9ad\ud1
30\ub4e4\uacfc\u0020\ub208\uc774\u0020\ub9c8\uc
8fc\ucce4\ub2e4\u002e\u0020\uadf8\ub4e4\uc740\u
0020\uc544\uc774\uc5d0\uac8c\u0020\uc190\uc744\
u0020\ud754\ub4e4\uba70\u0020\ud658\ud558\uac
8c\u0020\uc6c3\uc5c8\uc9c0\ub9cc\u002c\u0020\uc
544\uc774\ub294\u0020\uadf8\ub4e4\uc774\u0020\
ub5a8\uace0\u0020\uc788\ub294\u0020\uac83\u002
0\uac19\ub2e4\ub294\u0020\uc0dd\uac01\uc744\u0
020\ud588\ub2e4\u002e\u0020\uc544\uc774\ub294\
u0020\uacf3\uacf3\uc5d0\u0020\uc228\uaca8\uc9c4
\u0020\uc774\uc0c1\ud55c\u0020\uc0c1\uc9d5\ub4e
4\uacfc\u0020\uae30\ubb18\ud55c\u0020\ubb38\uc
591\uc774\u0020\uc0c8\uaca8\uc9c4\u0020\ud45c\u
c9c0\ud310\uc744\u0020\ubc1c\uacac\ud588\ub2e4\

u002e\u0020\uc2e0\uae30\ud55c\u0020\ub4ef\u002
0\ubd80\ubaa8\ub2d8\uc744\u0020\ubd88\ub800\uc
9c0\ub9cc\u0020\uc544\uc774\uc758\u0020\ubd80\
ubaa8\ub2d8\uc740\u0020\ub208\uc744\u0020\ucee
4\ub2e4\ub797\uac8c\u0020\ub72c\u0020\ucc44\u0
020\uc544\ubb34\u0020\ub300\ub2f5\ub3c4\u0020\
ud558\uc9c0\u0020\uc54a\uc558\ub2e4\u002e\u002
0\u000d

\u000d

\ubd80\ubaa8\ub2d8\uacfc\u0020\ud568\uaed8\u00
20\uccab\u0020\ubc88\uc9f8\u0020\ub180\uc774\ua
e30\uad6c\uc5d0\u0020\ud0d1\uc2b9\ud55c\u0020\
uc544\uc774\ub294\u0020\uc21c\uc218\ud55c\u002
0\uae30\uc068\uc73c\ub85c\u0020\uc6c3\uc74c\u00
20\uc9c0\uc5c8\ub2e4\u002e\u0020\uae30\uad6c\ua
c00\u0020\ud558\ub298\u0020\ub192\uc774\u0020
\uc19f\uad6c\uce60\u0020\ub54c\ub9c8\ub2e4\u002
0\uc544\uc774\uc758\u0020\uc6c3\uc74c\uc18c\ub9
ac\uac00\u0020\ub354\uc6b1\u0020\ucee4\uc84c\ub

2e4\u002e\u0020\ud558\ub298\uc744\u0020\ub0a0\
u0020\ub54c\ub9c8\ub2e4\u0020\uc544\uc774\ub29
4\u0020\ub180\uc774\uacf5\uc6d0\uc758\u0020\uac
bd\uacc4\u0020\ub108\uba38\u0020\uc544\ub798\u
c5d0\u0020\uc904\uc744\u0020\uc120\u0020\uc0ac
\ub78c\ub4e4\uc774\u0020\ucd95\u0020\ucc98\uc9c
4\u0020\ucc44\u0020\uc6c0\uc9c1\uc774\ub294\u0
020\uac83\uc744\u0020\ubcf4\uc558\ub2e4\u002e\u
0020\uadf8\ub4e4\uc740\u0020\uc904\uc744\u0020
\uc11c\uace0\u0020\uc788\uc5c8\ub294\ub370\u00
2c\u0020\uc5b4\ub5a4\u0020\uacf3\uc73c\ub85c\u0
020\ub4e4\uc5b4\uac00\uace0\u0020\uc5b4\ub5a4\
u0020\uc774\ub4e4\uc740\u0020\ub4f1\uc744\u002
0\ub3cc\ub824\u0020\ub3c4\ub9dd\uce58\ub824\u0
020\ud558\ub294\u0020\uac83\ub9cc\u0020\uac19\
uc544\ub2e4\u002e\u0020\uc544\uc774\ub294\u002
0\uc774\uc720\ub97c\u0020\uc54c\u0020\uc218\u0
020\uc5c6\uc9c0\ub9cc\u0020\uc790\uc2e0\ub3c4\u
0020\uadf8\uacf3\uc5d0\u0020\uac00\uace0\u0020\
uc2f6\ub2e4\ub294\u0020\uc0dd\uac01\uc744\u002
0\ud588\uace0\u002c\u0020\ub180\uc774\uae30\ua
d6c\ub97c\u0020\ud0c0\ub358\u0020\uc544\uc774\

uc758\u0020\ubd80\ubaa8\ub2d8\uc740\u0020\uc54
4\uc774\uc758\u0020\uc2dc\uc120\uc744\u0020\ub
3cc\ub9ac\uac8c\u0020\ud588\ub2e4\u002e\u000d

\u000d

\uc544\uc774\ub294\u0020\ubd80\ubaa8\ub2d8\uac
fc\u0020\ud568\uaed8\u0020\ub2e4\ucc44\ub85c\uc
6b4\u0020\ub180\uc774\uae30\uad6c\ub97c\u0020\
ud0c0\uba70\u0020\uc990\uac70\uc6b4\u0020\uc2d
c\uac04\uc744\u0020\ubcf4\ub0c8\ub2e4\u002e\u00
20\uac01\uae30\u0020\ub2e4\ub978\u0020\uae30\u
ad6c\ub4e4\uc740\u0020\uc544\uc774\uc5d0\uac8c\
u0020\uc0c8\ub85c\uc6b4\u0020\uacbd\ud5d8\uc74
4\u0020\uc120\uc0ac\ud588\ub2e4\u002e\u0020\ud
558\uc9c0\ub9cc\u002c\u0020\ub180\uc774\uae30\
uad6c\ub97c\u0020\ud0c0\uace0\u0020\uc990\uac8
1\uac8c\u0020\ub0b4\ub9b4\u0020\ub54c\ub9c8\ub
2e4\u0020\uc544\uc774\ub294\u0020\uadf8\u0020\
ub180\uc774\uae30\uad6c\uac00\u0020\uc138\uc0c
1\uc5d0\uc11c\u0020\uc0ac\ub77c\uc838\ubc84\ub8

38\ub2e4\ub294\u0020\uc0ac\uc2e4\uc744\u0020\u
ae68\ub2ec\uc558\ub2e4\u002e\u0020\uc544\uc774
\ub294\u0020\ubd80\ubaa8\ub2d8\uc5d0\uac8c\u00
20\ub180\uc774\uae30\uad6c\uac00\u0020\uc5b4\u
b514\u0020\uac04\u0020\uac70\ub0d0\uba70\u0020
\ubb3c\uc5c8\uc9c0\ub9cc\u0020\ubd80\ubaa8\ub2
d8\uc740\u0020\uc5ec\uc804\ud788\u0020\uc544\u
bb34\u0020\ub300\ub2f5\ub3c4\u0020\ud558\uc9c0
\u0020\uc54a\uace0\u0020\ub2e4\uc74c\u0020\ub1
80\uc774\uae30\uad6c\ub85c\u0020\uc544\uc774\u
c758\u0020\uc190\uc744\u0020\uc7a1\uace0\u0020
\ub098\uc544\uac14\ub2e4\u002e\u0020\ub180\uc7
74\uae30\uad6c\ub97c\u0020\ub2f4\ub2f9\ud558\u
b294\u0020\uc0ac\ub78c\ub4e4\uc758\u0020\uc5bc
\uad74\uc740\u0020\ud54f\uae30\u0020\uc5c6\uc7
74\u0020\ucc3d\ubc31\ud588\ub294\ub370\u002c\u
0020\uc544\uc774\ub294\u0020\uc7a0\uc2dc\u0020
\uadf8\ub4e4\uc758\u0020\ub0af\ube5b\uc5d0\u002
0\uc2dc\uc120\uc744\u0020\ube7c\uc557\uacbc\uc9
c0\ub9cc\u002c\u0020\uace7\u0020\ub2e4\uc2dc\u0
020\uae30\uc068\uc73c\ub85c\u0020\ub3cc\uc544\u
c654\ub2e4\u002e\u000d

\u000d

\uc810\uc2ec\uc2dc\uac04\uc774\u0020\ub418\uc5b
4\u002c\u0020\uac00\uc871\uc740\u0020\ub180\uc
774\uacf5\uc6d0\u0020\ub0b4\uc758\u0020\uc2dd\
ub2f9\uc5d0\u0020\ub4e4\uc5b4\uc130\ub2e4\u002
e\u0020\uc544\uc774\ub294\u0020\uae30\ub300\uc
5d0\u0020\ucc2c\u0020\ub208\uc73c\ub85c\u0020\
uba54\ub274\ub97c\u0020\uc0b4\ud3b4\ubcf4\uc55
8\ub2e4\u002e\u0020\uadf8\ub7ec\ub098\u0020\uc
74c\uc2dd\uc744\u0020\uba39\ub294\u0020\ub3d9\
uc548\u002c\u0020\uc544\uc774\ub294\u0020\uc74
c\uc2dd\uc758\u0020\ub9db\uc774\u0020\ud3c9\uc
18c\uc640\u0020\ub2e4\ub974\uac8c\u0020\ub290\
uaef4\uc84c\ub2e4\u002e\u0020\ud2b9\ud788\u002
c\u0020\ub514\uc800\ud2b8\uc758\u0020\ubaa8\uc
591\uc774\u0020\uc774\uc0c1\ud558\uac8c\u0020\
ubcc0\ud615\ub41c\u0020\ub4ef\ud55c\u0020\ub29
0\ub08c\uc744\u0020\ubc1b\uc558\ub2e4\u002e\u0
020\uc544\uc774\ub294\u0020\uadf8\u0020\ubaa8\

uc591\uc5d0\u0020\uc0b4\uc9dd\u0020\ub450\ub82
4\uc6c0\uc744\u0020\ub290\uaf08\uc9c0\ub9cc\u00
2c\u0020\ubd80\ubaa8\ub2d8\uc740\u0020\uc544\u
bb34\ub807\uc9c0\u0020\uc54a\uac8c\u0020\uc5ec\
uaca8\u0020\uadf8\u0020\uac10\uc815\uc744\u002
0\ud45c\ud604\ud558\uc9c0\u0020\uc54a\uc558\ub
2e4\u002e\u0020\uc720\uc544\uc6a9\u0020\ud584\
ubc84\uadf8\ub294\u0020\uc774\uc0c1\ud558\uac8c
\u0020\uc18c\uc2a4\uc5d0\u0020\uc816\uc5b4\u00
20\ucd95\ucd95\ud588\uace0\u002c\u0020\uc885\u
c5c5\uc6d0\uc740\u0020\uc544\uc774\uac00\u0020\
uac8c\uac78\uc2a4\ub7fd\uac8c\u0020\ud584\ubc84
\uadf8\ub97c\u0020\uba39\uc5b4\uce58\uc6b0\ub2
94\u0020\ubaa8\uc2b5\uc744\u0020\ubd80\ub985\u
b72c\u0020\ub208\uc73c\ub85c\u0020\uc9c0\ucf1c\
ubcf4\uace0\u0020\uc788\uc5c8\ub2e4\u002e\u000d

\u000d

\uc544\uc774\ub294\u0020\uc2dd\ub2f9\u0020\ubc
16\uc73c\ub85c\u0020\ub098\uc640\u0020\uc0ac\u
b78c\ub4e4\uc774\u0020\uc790\uc2e0\uc744\u0020

\uc218\uc0c1\ud558\uac8c\u0020\uc790\uc8fc\u002
0\uccd0\ub2e4\ubcf4\ub294\u0020\uac83\uc744\u00
20\ubc1c\uacac\ud588\ub2e4\u002e\u0020\uc544\uc
774\ub294\u0020\uc790\uc2e0\uc774\u0020\uba39\
uc740\u0020\ud584\ubc84\uadf8\ub97c\u0020\uc0a
c\ub78c\ub4e4\uc774\u0020\ubd80\ub7ec\uc6cc\ud5
58\uace0\u0020\uc788\ub2e4\uace0\u0020\uc0dd\u
ac01\ud588\ub2e4\u002e\u0020\uc2dd\uc0ac\u0020
\ud6c4\u002c\u0020\uc544\uc774\ub294\u0020\ub1
80\uc774\uacf5\uc6d0\uc758\u0020\ub2e4\uc591\ud
55c\u0020\uacf5\uc5f0\uc744\u0020\uad00\ub78c\u
d588\ub2e4\u002e\u0020\ud2b9\ud788\u0020\uba3
8\ub9ac\uac00\u0020\ub458\uc778\u0020\ub9c8\uc
220\uc0ac\uc758\u0020\uacf5\uc5f0\uc740\u0020\u
c544\uc774\ub97c\u0020\ub9e4\ub8cc\uc2dc\ucf30\
ub2e4\u002e\u0020\ud558\uc9c0\ub9cc\u0020\uacf5
\uc5f0\u0020\uc911\u002c\u0020\ub9c8\uc220\uc0a
c\uc758\u0020\uc5bc\uad74\uc774\u0020\uc7a0\uc2
dc\u0020\uacf5\ud3ec\uc640\u0020\uac81\uc5d0\u0
020\uc9c8\ub9b0\u0020\uc0ac\ub78c\uc758\u0020\
ud615\uc0c1\uc73c\ub85c\u0020\ubcc0\ud558\ub29
4\u0020\uac83\uc744\u0020\uc544\uc774\ub294\u0

020\ubc1c\uacac\ud588\ub2e4\u002e\u0020\uadf8\u
0020\uc21c\uac04\u002c\u0020\uc544\uc774\ub294
\u0020\uacf5\ud3ec\uac10\uc744\u0020\ub290\uaf0
8\uc9c0\ub9cc\u002c\u0020\ubd80\ubaa8\ub2d8\uc
774\u0020\uc544\uc774\uc758\u0020\uc591\uc190\
uc744\u0020\uad73\uac8c\u0020\uc7a1\uc544\uc8fc
\uc790\u0020\uace7\u0020\uadf8\uac83\uc774\u002
0\ub9c8\uc220\uc758\u0020\uc77c\ubd80\ub77c\ua
ce0\u0020\uc0dd\uac01\ud558\uba70\u0020\ub450\
ub824\uc6c0\uc744\u0020\ub5a8\uccd0\ub0c8\ub2e
4\u002e\u0020\u000d

\u000d

\ub2e4\uc74c\uc740\u0020\ud37c\ub808\uc774\ub4
dc\uc600\ub2e4\u002e\u0020\ubc24\uc774\u0020\u
d558\ub298\uc758\u0020\ubb38\uc744\u0020\ub45
0\ub4dc\ub9ac\ub824\u0020\ud558\uc790\u0020\ub
a38\ub9ac\uac00\u0020\uc0c8\uc758\u0020\ud615\
uc0c1\uc744\u0020\ub764\u0020\ub304\uc11c\ub4e
4\uc740\u0020\ub180\uc774\uacf5\uc6d0\uc758\u0

020\uc911\uc2ec\uc744\u0020\ud589\uc9c4\ud558\
uae30\u0020\uc2dc\uc791\ud5c0\ub2e4\u002e\u002
0\uadf8\ub4e4\uc740\u0020\uae4c\ub9c8\uadc0\ub9
7c\u0020\ub2ee\uc740\u0020\uc6c3\uc74c\uc18c\ub
9ac\ub97c\u0020\ub0b4\uba70\u0020\uae54\uae54\
uac70\ub9ac\uba70\u0020\uc6c3\uc5c8\uace0\u002c
\u0020\uba4b\uc9c4\u0020\ucda4\uc744\u0020\ucd
94\uba70\u0020\uc0ac\ub78c\ub4e4\u0020\uc0ac\u
c774\ub97c\u0020\ud5e4\uce58\uace0\u0020\ub098
\uc544\uac14\ub2e4\u002e\u0020\ub304\uc11c\ub4
e4\uc5d0\u0020\ubd80\ub52a\ud600\u0020\ub180\
uc774\uacf5\uc6d0\uc5d0\u0020\uc788\ub358\u002
0\uc190\ub2d8\u0020\uba87\u0020\uba85\uc774\u0
020\ub118\uc5b4\uc838\u0020\ubc14\ub2e5\uc744\
u0020\ub4b9\uad74\uc5c8\uace0\u002c\u0020\ub30
4\uc11c\ub4e4\u0020\uc911\u0020\uba87\u0020\ub
a85\uc774\u0020\uc55e\uc73c\ub85c\u0020\ub098\
uc640\u0020\uadf8\u0020\uc0ac\ub78c\ub4e4\uc758
\u0020\uc5b4\uae68\ub97c\u0020\ubd99\uc7a1\uac
e0\u0020\uc5b4\ub518\uac00\ub85c\u0020\ub370\u
b824\uac00\uae30\u0020\uc2dc\uc791\ud588\ub2e4
\u002e\u0020\u000d

\u000d

\uc544\uc774\ub294\u0020\ud37c\ub808\uc774\ub4
dc\uc5d0\u0020\ud569\ub958\ud558\uac8c\u0020\u
b41c\u0020\uadf8\u0020\uc0ac\ub78c\ub4e4\uc744\
u0020\ubcf4\uba70\u0020\uae54\uae54\uac70\ub9a
c\uba70\u0020\uc6c3\uc5c8\ub2e4\u002e\u0020\ua
df8\ub9ac\uace0\u0020\ubd80\ubaa8\ub2d8\uc5d0\
uac8c\u0020\uc790\uc2e0\ub3c4\u0020\ud37c\ub80
8\uc774\ub4dc\uc5d0\u0020\ucc38\uc5ec\ud560\u00
20\uc218\u0020\uc788\uaca0\ub290\ub0d0\u0020\u
bb3c\uc5b4\ubcf4\uc558\ub2e4\u002e\u0020\ubd80\
ubaa8\ub2d8\uc740\u0020\uc548\uc0c9\uc774\u002
0\ucc3d\ubc31\ud574\uc838\u0020\uace0\uac1c\ub9
7c\u0020\uac00\ub85c\uc800\uc5c8\uc9c0\ub9cc\u0
02c\u0020\uc544\uc774\uc758\u0020\uc758\uc9c0\
ub294\u0020\ud655\uace0\ud588\ub2e4\u002e\u002
0\uc544\uc774\ub294\u0020\ud37c\ub808\uc774\ub
4dc\uc5d0\u0020\ub108\ubb34\u0020\ucc38\uc5ec\
ud558\uace0\u0020\uc2f6\uc5c8\ub2e4\u002e\u0020

\ub304\uc11c\ub4e4\uc758\u0020\ucda4\uc774\u00
20\uc544\uc774\uc758\u0020\ub9c8\uc74c\uc744\u
0020\uc644\ubcbd\ud558\uac8c\u0020\uc0ac\ub85c\
uc7a1\uace0\u0020\uc788\uc5c8\ub2e4\u002e\u000
d

\u000d

\uc544\uc774\ub294\u0020\ucda9\ub3d9\uc744\u00
20\uc774\uae30\uc9c0\u0020\ubabb\ud558\uace0\u
0020\ubd80\ubaa8\ub2d8\uc758\u0020\uc190\uc744
\u0020\ub193\uce58\uace0\u0020\ud37c\ub808\uc7
74\ub4dc\u0020\ub304\uc11c\ub4e4\uc744\u0020\u
d5a5\ud574\u0020\ub2ec\ub824\uac14\ub2e4\u002e
\u0020\uc544\uc774\uac00\u0020\ud638\uae30\uc2
ec\uc5d0\u0020\uadf8\ub4e4\uc5d0\uac8c\u0020\uc
791\uace0\u0020\uc559\uc99d\ub9de\uc740\u0020\
uc190\uc744\u0020\ubed7\uc73c\ub824\ub358\u002
0\uadf8\ub54c\u002c\u0020\ub304\uc11c\ub4e4\uc7
40\u0020\uc77c\uc81c\ud788\u0020\ubaa8\uc2b5\u
c744\u0020\uac10\ucd94\uc5c8\ub2e4\u002e\u0020

\uba3c\uc9c0\u0020\ud558\ub098\u0020\ub0a8\uae
30\uc9c0\u0020\uc54a\uace0\u0020\uc0ac\ub77c\uc
9c4\u0020\uadf8\ub4e4\uc740\u0020\ub9c8\uce58\u
0020\ud55c\u0020\uc5ec\ub984\uc758\u0020\uafc8\
ub9cc\u0020\uac19\uc558\ub2e4\u002e\u0020\uc54
4\uc774\ub294\u0020\ub4a4\ub97c\u0020\ub3cc\uc
544\ubd24\uc9c0\ub9cc\u0020\ubd80\ubaa8\ub2d8\
uc758\u0020\ubaa8\uc2b5\uc740\u0020\uc5c6\uc5c
8\ub2e4\u002e\u000d

\u000d

\uc544\uc774\ub294\u0020\ud63c\uc790\u0020\ub0
a8\uc558\ub2e4\u002e\u0020\ub180\uc774\uacf5\uc
6d0\uc740\u0020\ubb38\uc744\u0020\ub2eb\uc744\
u0020\uc2dc\uac04\uc774\u0020\ub418\uc5c8\uc73
c\uba70\u002c\u0020\ub180\uc774\uae30\uad6c\uc
758\u0020\ubd88\ube5b\ub4e4\uc774\u0020\ud558\
ub098\uc529\u0020\uaebc\uc838\uac14\ub2e4\u002
e\u0020\uc544\uc774\ucc98\ub7fc\u0020\uc2e0\ub0
98\uc11c\u0020\ub180\uc774\uae30\uad6c\ub97c\u

0020\ud0c0\ub358\u0020\uc0ac\ub78c\ub4e4\uc740
\u0020\uac11\uc790\uae30\u0020\ud558\ub098\ub4
58\uc529\u0020\ubaa8\uc2b5\uc744\u0020\uac10\u
cd94\uc5c8\ub2e4\u002e\u0020\uc544\uc774\ub294
\u0020\ubd80\ubaa8\ub2d8\uc744\u0020\ubd88\ub
800\uc9c0\ub9cc\u0020\ub180\uc774\uacf5\uc6d0\u
c758\u0020\ubc24\uc740\u0020\uc544\uc774\uc5d0
\uac8c\u0020\uc544\ubb34\u0020\ub300\ub2f5\ub3
c4\u0020\ud574\uc8fc\uc9c0\u0020\uc54a\uc558\ub
2e4\u002e\u0020\ubd80\ubaa8\ub2d8\uc758\u0020\
ubd80\ub985\u0020\ub72c\u0020\ub208\ub3d9\uc7
90\uac00\u0020\uc544\uc774\uc758\u0020\uc0dd\u
ac01\uc744\u0020\ub5a0\ub098\uc9c0\u0020\uc54a
\uc558\ub2e4\u002e\u000d

\u000d

\ub180\uc774\uacf5\uc6d0\uc758\u0020\ubb38\uc7
40\u0020\uc601\uc601\u0020\ub2eb\ud614\ub2e4\u
002e\u0020\uc544\uc774\ub294\u0020\uafc8\uc758
\u0020\ub300\uac00\ub97c\u0020\uce58\ub7ec\uc5

7c\u0020\ud55c\ub2e4\u002e

친구가 전하고 싶었던 이야기

이번에도 편지를 쓸 수 있게 된 것을 기쁘게 생각한다. 내 친구가 준 암호문을 해독한 결과가, 당신이 해독한 결과와 일치하기를 진심으로 바라는 바이다.

“

태양이 높게 떠오른 하늘 아래, 놀이공원의 대문이 활짝 열려 있었다. 아이는 부모님의 손을 잡고 들어서며, 눈앞에 펼쳐진 화려한 풍경에 마음이 설렜다. 놀이기구들은 무지개처럼 다채롭게 빛나고, 웃음소리와 음악이 공기를 가득 메웠다. 하지만, 아이의 발걸음은 무언가에 이끌리듯 한 조각상에 멈춰 섰다. 아이를 본 그 조각상은 미소를 지었지만, 그 눈빛은 의외로 쓸쓸해 보였다. 아이는 조각상의 인사에 손을 흔들어 답했다.

아이는 조각상을 지나 놀이공원의 중심으로 걸어갔다. 길을 따라 걷는 동안, 아이는 환상적인 캐릭터들과 눈이 마주쳤다. 그들은 아이에게 손을 흔들며 환하게 웃었지만, 아이는 그들이 떨고 있는 것 같다는 생각을 했다. 아이는 곳곳에 숨겨진 이상한 상징들과 기묘한 문양이 새겨진 표지판을 발견했다. 신기한 듯 부모님을 불렀지만 아이의 부모님은 눈을 커다랗게 뜬 채 아무 대답도 하지 않았다.

부모님과 함께 첫 번째 놀이기구에 탑승한 아이는 순수한 기쁨으로 웃음 지었다. 기구가 하늘 높이 솟구칠 때마다 아이의 웃음소리가 더욱 커졌다. 하늘을 날 때마다 아이는 놀이공원의 경계 너머 아래에 줄을 선 사람들이 축 처진 채 움직이는 것을 보았다. 그들은 줄을 서고 있었는데, 어떤 곳으로 들어가고 어떤 이들은 등을 돌려 도망치려 하는 것만 같아다. 아이는 이유를 알 수 없지만 자신도 그곳에 가고 싶다는 생각을 했고, 놀이기구를 타던 아이의 부모님은 아이의 시선을 돌리게 했다.

아이는 부모님과 함께 다채로운 놀이기구를 타며 즐거운 시간을 보냈다. 각기 다른 기구들은 아이에게 새로운 경험을 선사했다. 하지만, 놀이기구를 타고 즐겁게 내릴 때마다 아이는 그 놀이기구가 세상에서 사라져버렸다는 사실을 깨달았다. 아이는 부모님에게 놀이기구가 어디 간 거냐며 물었지만 부모님은 여전히 아무 대답도 하지 않고 다음 놀이기구로 아이의 손을 잡고 나아갔다. 놀이기구를 담당하는 사람들의 얼굴은 핏기 없이 창백했는데, 아이는 잠시 그들의 낯빛에 시선을 빼앗겼지만, 곧 다시 기쁨으로 돌아왔다.

점심시간이 되어, 가족은 놀이공원 내의 식당에 들어섰다. 아이는 기대에 찬 눈으로 메뉴를 살펴보았다. 그러나 음식을 먹는 동안, 아이는 음식의 맛이 평소와 다르게 느껴졌다. 특히, 디저트의 모양이 이상하게 변형된 듯한 느낌을 받았다. 아이는 그 모양에 살짝 두려움을 느꼈지만, 부모님은 아무렇지 않게 여겨 그 감정을 표현하지 않았다. 유아용 햄버그는 이상하게 소스에 젖어 축축했고, 종업원은 아이가 게걸스럽게 햄버그를 먹어치우는 모습을 부릅뜬 눈으로 지켜보고 있었다.

아이는 식당 밖으로 나와 사람들이 자신을 수상하게 자주 쳐다보는 것을 발견했다. 아이는 자신이 먹은 햄버그를 사람들이 부러워하고 있다고 생각했다. 식사 후, 아이는 놀이공원의 다양한 공연을 관람했다. 특히 머리가 둘인 마술사의 공연은 아이를 매료시켰다. 하지만 공연 중, 마술사의 얼굴이 잠시 공포와 겁에 질린 사람의 형상으로 변하는 것을 아이는 발견했다. 그 순간, 아이는 공포감을 느꼈지만, 부모님이 아이의 양손을 굳게 잡아주자 곧 그것이 마술의 일부라고 생각하며 두려움을 떨쳐냈다.

다음은 퍼레이드였다. 밤이 하늘의 문을 두드리려 하자 머리가 새의 형상을 띤 댄서들은 놀이공원의 중심을 행진하기 시작했다. 그들은 까마귀를 닮은 웃음소리를 내며 깔깔거리며 웃었고, 멋진 춤을 추며 사람들 사이를 헤치고 나아갔다. 댄서들에 부딪혀 놀이공원에 있던 손님 몇 명이 넘어져 바닥을 뒹굴었고, 댄서들 중 몇 명이 앞으로 나와 그 사람들의 어깨를 붙잡고 어딘가로 데려가기 시작했다.

아이는 퍼레이드에 합류하게 된 그 사람들을 보며 깔깔거리며 웃었다. 그리고 부모님에게 자신도 퍼레이드에 참여할 수 있겠느냐 물어보았다. 부모님은 안색이 창백해져 고개를 가로저었지만, 아이의 의지는 확고했다. 아이는 퍼레이드에 너무 참여하고 싶었다. 댄서들의 춤이 아이의 마음을 완벽하게 사로잡고 있었다.

아이는 충동을 이기지 못하고 부모님의 손을 놓치고 퍼레이드 댄서들을 향해 달려갔다. 아이가 호기심에 그들에게 작고 앙증맞은 손을 뻗으려던 그때, 댄서들은 일제히 모습을 감추었다. 먼지 하나 남기지 않고 사라진 그들은 마치 한 여름의 꿈만 같았다. 아이는 뒤를 돌아봤지만 부모님의 모습은 없었다.

아이는 혼자 남았다. 놀이공원은 문을 닫을 시간이 되었으며, 놀이기구의 불빛들이 하나씩 꺼져갔다. 아이처럼 신나서 놀이기구를 타던 사람들은 갑자기 하나둘씩 모습을 감추었다. 아이는 부모님을 불렀지만 놀이공원의 밤은 아이에게 아무 대답도 해주지 않았다. 부모님의 부릅 뜬 눈동자가 아이의 생각을 떠나지 않았다.

놀이공원의 문은 영영 닫혔다. 아이는 꿈의 대가를 치러야 한다.

“

나의 친애하는 벗은 아이가 놀이공원에서 재미있게 노는 호러 소설을 써달라는 내 요청에 이렇게 대답해주었다.

나의 재능 넘치는 AI 친구는 호러와 미스테리의 차이를 구분하고 소설을 쓴 걸까? 인간의 원초적 공포인 부모와 이별하는 것에 대한 두려움과, 놀이공원의 발랄함에 대비되는 미스테리 사이에서 어떻게 저울질할 수 있었던 걸까?

나는 당신이 내 AI친구의 작품을 함께 감상하면서 나와 같은 감정을 공유했기를 바란다. 그들에게 경탄하고, 놀라워함과 동시에 그 친구의 부족함에 저절로 눈이 갔기를 바란다. 그리고 언젠가, 나의 친구가 당신의 친구가 되는 날을 손꼽아 기대하고 있겠다.

당신에게 다시 한번 찬사를 보낸다. 편지는 이만 줄이겠다.

나는 그 친구에게 당신과 같은 훌륭한 친구를 새로이 얻었다는 소식과 내 감상평을 들려줘야 하고, 그에게 갈채를 보내야 하기에.